Économie familiale

Aujourd'hui... pour demain!

Gaétane Boisvert-Bellemare
Agnès Charles
Diane Simard-Carignan
Suzette L. Millette

2e secondaire

LIDEC

Économie familiale
et planification alimentaire Tome 2

Aujourd'hui... pour demain!

MANUEL DE L'ÉLÈVE
Tome 2

auteures
Gaétane Boisvert-Bellemare
Agnès Charles
Diane Simard-Carignan
Suzette L. Millette

consultation pédagogique
Céline Bégin Pépin
Commission scolaire de Sorel
Céline Defoy
Commission scolaire de Trois-Rivières

révision linguistique
Dominique Burns

illustrations
Christine Battuz

conception graphique
LIDEC inc.

photographie de la page couverture
Ron Dahlquist / Superstock

Dépôt légal
Bibliothèque nationale du Québec, 1994
Bibliothèque nationale du Canada, 1994

ISBN 2-7608-3310-0
Imprimé au Canada

4350, avenue
de l'Hôtel-de-Ville
MONTRÉAL (Québec)
H2W 2H5
Téléphone:
(514) **843-5991**
Télécopieur:
(514) 843-5252

Remerciements

Les auteures tiennent à remercier toutes les personnes qui ont collaboré à un moment ou à un autre à l'élaboration de cet ouvrage, tout particulièrement:

- nos familles
- nos commissions scolaires
- Madame Manon Carignan
- Madame Renée Deshaies
- Madame Appoline Gagné
- Madame Diane Lalancette
- Madame Ghislaine Larouche
- Monsieur Paul Brousseau
- Monsieur Pierre Gravel
- Monsieur Éric Robert
- Santé et Bien-être social Canada
- Bureau laitier du Canada
- Kraft General Foods Canada inc.
  et
- Ministère de l'Agriculture, des Pêcheries et de l'Alimentation du Québec

Noms des auteures:

Madame Gaétane Boisvert-Bellemare, C.S. Samuel-De Champlain, Cap-de-la-Madeleine

Madame Agnès Charles, Commission des écoles catholiques de Montréal, (CÉCM), Montréal

Madame Diane Simard-Carignan, C.S. Harricana, Amos

Madame Suzette L. Millette, C.S. Jérôme LeRoyer, Montréal

Introduction

Aujourd'hui... pour demain! Un beau titre n'est-ce pas? Un titre qui évoque le projet et la démarche qui sont proposés avec le programme d'économie familiale mis à jour. *Aujourd'hui... pour demain!* sous-entend: apprend, planifie, ordonne aujourd'hui pour être heureuse ou heureux, satisfaite ou satisfait, et responsable demain. Chaque journée est donc à la fois aujourd'hui et demain. Tu planifies aujourd'hui un besoin qui sera satisfait demain, mais en même temps tu es satisfaite ou satisfait aujourd'hui d'un besoin qui a été planifié il y a quelque temps. Le manuel te propose donc ce projet dans quatre domaines:

> La vie familiale
> L'alimentation
> L'habillement
> Le logement

Chaque module te présente d'abord le processus de gestion illustré et expliqué dans le but de te faire prendre conscience de tes besoins et de tes ressources et de t'amener à planifier et à gérer ces ressources dans la plus grande satisfaction de tes besoins. Il y a également dans chaque module des textes adaptés à des situations de tous les jours qui couvrent tous les objectifs du programme d'économie familiale mis à jour.

De plus, tu pourras vérifier si tu as bien compris le contenu de chaque module en faisant les exercices «À toi de t'exprimer!», exercices axés sur ta vie quotidienne et directement reliés à chaque notion expliquée. À la fin de chaque objectif, des exercices intitulés «As-tu compris?» te permettront de relier toutes les notions exposées dans cet objectif.

Enfin, comme il est important de joindre l'utile à l'agréable, différents jeux te sont suggérés dans les fiches d'apprentissage où divertissement et délassement s'amalgament.

Afin de t'aider, tu pourrais, s'il y a lieu, te rapporter au glossaire situé à la fin de chacun des modules. Chaque mot du glossaire est de la couleur du module.

Une bibliographie a aussi été ajoutée pour t'être utile si tu désires en savoir plus.

Tu as maintenant les clés du manuel *Aujourd'hui... pour demain!*

TABLE DES MATIÈRES

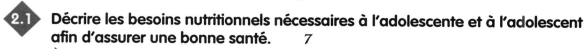

MODULE 2

Économie familiale et planification alimentaire

Objectifs généraux   2

Objectifs terminaux   3

Processus de gestion   5

Introduction au Module 2: Économie familiale et planification alimentaire   6

2.1 Décrire les besoins nutritionnels nécessaires à l'adolescente et à l'adolescent afin d'assurer une bonne santé.   7
À toi de t'exprimer!   18
As-tu compris?   19

2.2 Classer les aliments selon les quatre groupes du *Guide alimentaire canadien pour manger sainement.*   20
À toi de t'exprimer!   36
As-tu compris?   37

2.3 Déterminer les fonctions et les principales sources des constituants alimentaires.   38
À toi de t'exprimer!   65
As-tu compris?   67

2.4 Évaluer des menus en respectant les portions quotidiennes recommandées pour chacun des groupes du *Guide alimentaire canadien pour manger sainement.*   69
À toi de t'exprimer!   86
As-tu compris?   87

2.5 Adopter une stratégie rationnelle pour l'achat des aliments.   89
À toi de t'exprimer!   109
As-tu compris?   110

2.6 Préparer des mets simples et nutritifs.   111
À toi de t'exprimer!   145
As-tu compris?   146

2.7 Mettre en pratique des modes de présentation et de consommation de divers aliments.   147
À toi de t'exprimer!   156
As-tu compris?   157

Glossaire   158

Bibliographie   162

MODULE 2

Économie familiale
et planification alimentaire

OBJECTIFS GÉNÉRAUX

- **Sur les plans cognitif et psychomoteur, l'élève devra être capable:**

  - de connaître et comprendre les besoins et les ressources de l'adolescent ou de l'adolescente dans le domaine de l'alimentation;

  - d'appliquer, dans sa vie quotidienne, les principes d'une saine alimentation;

  - d'appliquer une démarche rationnelle quant au choix, à la production et à la conservation des aliments.

- **Sur le plan affectif, l'élève devra être capable:**

  - de démontrer l'importance d'une saine alimentation;

  - d'accepter la responsabilité de son alimentation;

  - de développer de saines habitudes alimentaires;

  - de s'intéresser à découvrir de nouveaux aliments;

  - d'adopter des attitudes rationnelles pour l'utilisation des ressources alimentaires et de ses ressources personnelles: temps, énergie, argent;

  - d'apprécier l'aspect esthétique de la présentation des aliments.

OBJECTIFS TERMINAUX

| Unité-concept | — | Besoins |

2.1 Décrire les besoins nutritionnels nécessaires à l'adolescente et à l'adolescent afin d'assurer une bonne santé.

| Unité-concept | — | Ressources |

2.2 Classer les aliments selon les quatre groupes du *Guide alimentaire canadien pour manger sainement*.

2.3 Déterminer les fonctions et les principales sources des constituants alimentaires.

| Unité-concept | — | Satisfaction des besoins Consommation |

2.4 Évaluer des menus en respectant les portions quotidiennes recommandées pour chacun des groupes du *Guide alimentaire canadien pour manger sainement*.

2.5 Adopter une stratégie rationnelle pour l'achat des aliments.

| Unité-concept | — | Satisfaction des besoins Production |

2.6 Préparer des mets simples et nutritifs.

2.7 Mettre en pratique des modes de présentation et de consommation de divers aliments.

Pondération 25 %

Aujourd'hui... pour demain!

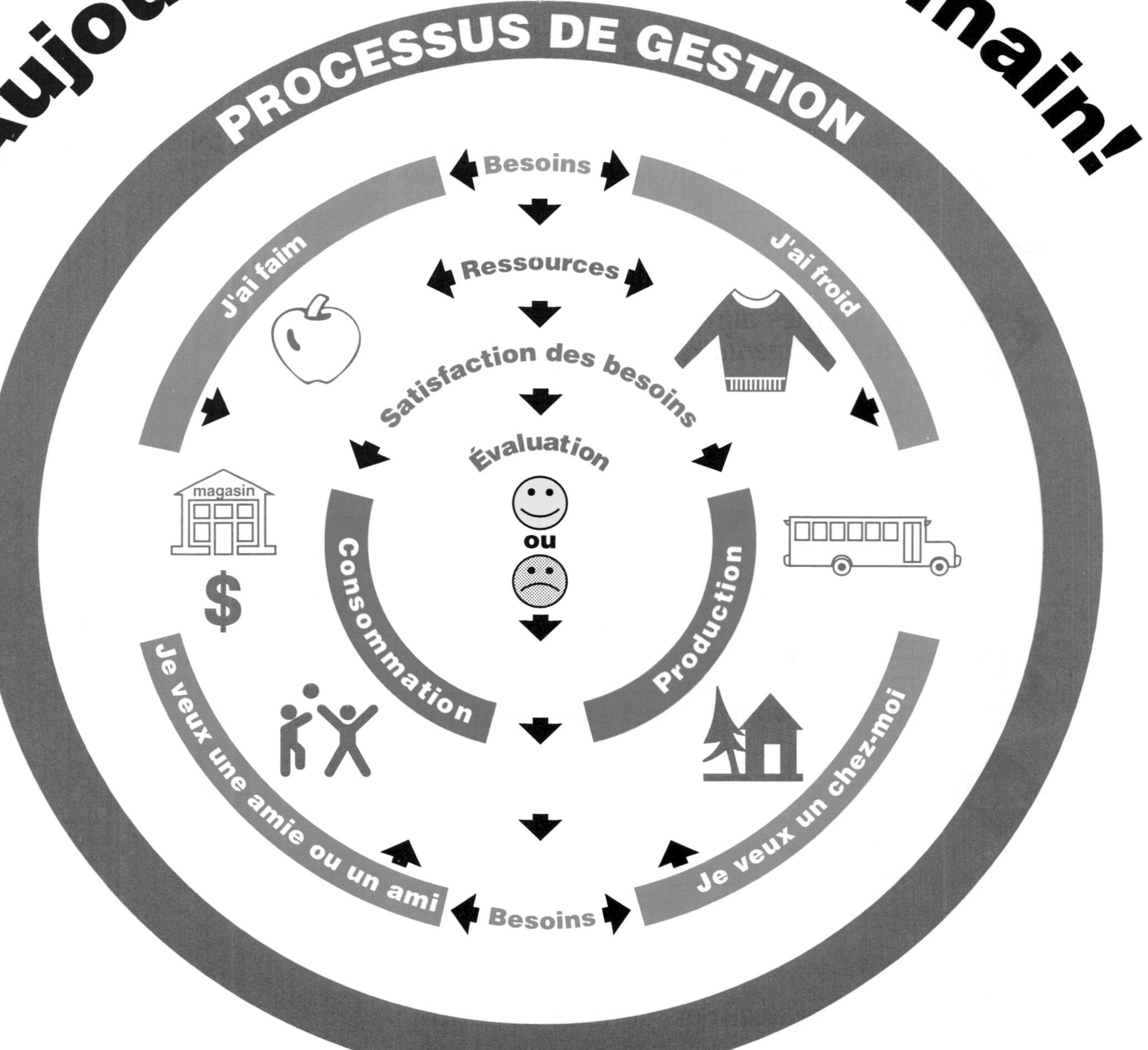

PROCESSUS DE GESTION

Besoins

J'ai faim   Ressources   J'ai froid

Satisfaction des besoins

Évaluation

ou

magasin

$

Consommation   Production

Je veux une amie ou un ami

Je veux un chez-moi

Besoins

PROCESSUS DE GESTION

Si tu observes le processus de gestion de la représentation schématique, tu constates que le besoin attribué à l'alimentation est «J'AI FAIM». Se nourrir est en effet un besoin fondamental.

 1. Mais tu peux ressentir d'autres besoins, comme désirer prendre un bon repas au restaurant ou siroter une boisson gazeuse. Tes **besoins** en alimentation sont fondamentaux ou accessoires, physiologiques ou psychologiques. Tu approfondiras ces notions à l'objectif 2.1.

 2. Pour combler tes besoins, tu disposes de diverses **ressources**:
* **MATÉRIELLES**: les aliments, les restaurants, les épiceries;
* **FINANCIÈRES**: l'argent que tu possèdes;
* **HUMAINES**: toutes les personnes qui, de près ou de loin, aident à satisfaire ces besoins alimentaires, et tes habiletés et celles des autres.

 3. Selon les ressources choisies, deux possibilités s'offrent à toi:
TU PRODUIS OU TU CONSOMMES ce dont tu as besoin.

Cette alternative doit t'amener à la **satisfaction de tes besoins**.

Si tu consommes, tu devras appliquer une stratégie rationnelle à l'achat des aliments. Pour y arriver, tu devras suivre le cheminement proposé aux objectifs 2.4 et 2.5.

Si tu produis, tu devras préparer des mets simples et nutritifs, et apprendre comment les présenter, comme on te le suggère aux objectifs 2.6 et 2.7.

 4. Que tu optes pour la production ou la consommation, tu dois faire **l'évaluation** de la satisfaction de tes besoins.

Tu seras entièrement satisfait ou satisfaite:	si tes besoins étaient, au départ, bien identifiés, tes ressources bien estimées et ta décision de production ou de consommation bien réfléchie.
Si tu es moyennement ou complètement insatisfait ou insatisfaite:	tu dois revoir chaque étape du processus: • ton besoin était-il justifié? • l'inventaire de tes ressources était-il complet? • ta décision de production ou de consommation était-elle judicieuse?

L'évaluation et les réajustements sont importants à analyser pour avoir une **satisfaction maximale de tes besoins**.

Applique le processus de gestion pour ***Aujourd'hui... et pour demain.***

Économie familiale
et planification alimentaire

Aujourd'hui... pour demain, pourquoi faut-il apprendre à bien manger? Est-ce simplement pour survivre ou pour se garder en santé? L'être humain peut manger aujourd'hui parce qu'il le faut bien, ou encore par plaisir, demain, parce que c'est bon au goût.

La nourriture joue plusieurs rôles dans le bon fonctionnement de ton organisme. Elle te maintient en vie et elle satisfait également tes besoins psychosociaux. Pour t'assurer une meilleure santé aujourd'hui et demain, tu recherches des aliments qui comblent tes besoins nutritionnels, et encore plus à cette période de l'adolescence.

Comme de nombreuses personnes, ton alimentation et ta santé te préoccupent aujourd'hui... Tu désires des produits bons pour toi. Tu prends soin de leur conservation et de leur préparation afin de préserver leurs qualités nutritives, sans toutefois sacrifier, demain, le plaisir de bien manger. Et tu as raison!

Pour mieux refléter tes habitudes et tes préoccupations, le *Guide alimentaire canadien* a fait peau neuve. Il est maintenant plus près de tes besoins. Être en santé aujourd'hui, c'est aussi une question de choix pour demain! Offre-toi ce que chaque aliment a de meilleur! Multiplie les plaisirs! Goûte des aliments venus d'ailleurs ou moins connus, sans oublier les produits québécois et les produits régionaux.

Bien manger, c'est aussi planifier aujourd'hui tes menus et rentabiliser chacun des «nutri-dollars» que tu laisseras demain dans les tiroirs-caisses des différents services alimentaires. Et puisque la «bouffe» est au rendez-vous des rencontres sociales et de tes réunions familiales, il importe de savoir à quoi t'en tenir sur les modes de présentation et de consommation des aliments.

Bien manger, c'est surveiller ton alimentation aujourd'hui pour te permettre des petites fantaisies demain...

Décrire les besoins nutritionnels nécessaires à l'adolescente et à l'adolescent afin d'assurer une bonne santé

Bien te nourrir, c'est d'abord bien manger pour t'assurer une croissance harmonieuse et un avenir sain.

La façon de se nourrir varie d'une culture et d'un individu à l'autre. Chacun et chacune ont leurs préférences en matière d'alimentation.

On constate que tu as une bonne alimentation par la clarté de ton teint, la force de tes dents, la vigueur de tes os, l'éclat de ta chevelure, et l'étincellement de tes yeux. Tu respires la vitalité et l'entrain.

Par contre, une mauvaise alimentation risque d'augmenter la fréquence des maladies dont tu pourrais souffrir, et de porter atteinte au développement de ton cerveau et de ton corps.

Les aliments assurent à ton organisme ce qu'il faut pour la croissance, l'entretien et la réparation des tissus et la régulation du système. Ils fournissent en outre à ton corps chaleur et énergie pour bien fonctionner. Il est essentiel de compter sur une alimentation équilibrée au moment de l'adolescence.

Source: Renée Deshaies

De saines habitudes alimentaires influeront sur ta santé et ton bien-être. Or, la santé, c'est ton capital le plus précieux. C'est une question de choix!

2.1.1

NOTION DE BESOIN NUTRITIONNEL — Santé

Manger est à la fois un plaisir et une nécessité de la vie. Le premier geste à poser est de donner à la nourriture la place qui lui revient. Pour bien t'alimenter, tu dois connaître les principes de base de l'alimentation ainsi que les besoins de ton organisme aux différentes périodes de la vie.

Avoir faim exprime un besoin physiologique. Si ce besoin n'est pas satisfait, il en résulte des malaises désagréables tels que des nausées, des maux de tête et de cœur, des crampes d'estomac, des étourdissements, ainsi que des problèmes de développement et de santé en général.

Un besoin nutritionnel est une exigence alimentaire nécessaire à l'organisme pour vivre, se développer, agir et se conserver.

Aussi, pour satisfaire les besoins nutritionnels de ton organisme, tu dois, d'une part, veiller à la qualité des aliments et, d'autre part, prendre soin d'en consommer une quantité appropriée.

Un choix judicieux d'aliments contribue au maintien de ta santé et au bon déroulement des fonctions de ton organisme.

2.1.2

BESOINS NUTRITIONNELS DE L'ORGANISME HUMAIN

Comme tu es en pleine croissance, tu brûles de grandes quantités d'énergie et tu subis plusieurs transformations dans ton développement physique.

Les cellules qui composent ton corps croissent et se multiplient; leur activité est particulièrement intense à ton âge. D'autres cellules vieillissent et meurent.

Pour fonctionner normalement, l'organisme humain a besoin d'**éléments de synthèse pour la formation des cellules, pour la croissance, pour la réparation et pour l'entretien des tissus**. De plus, les aliments transformés apportent à ton système des **substances énergétiques** et, finalement, des **substances régulatrices** pour certaines fonctions vitales.

ÉLÉMENTS DE SYNTHÈSE

La croissance, la réparation et l'entretien des tissus de ton organisme sont assurés par les **éléments de synthèse**. Ce besoin nutritionnel est plus élevé à ton âge car tes os allongent et tes muscles se développent. Un plus grand nombre de cellules doivent donc être formées.

Ce besoin est réel durant toute ta vie, car sans ces **éléments de synthèse**, ton corps est incapable de grandir, de réparer les blessures, les coupures, les os brisés ou les muscles abîmés. Certaines cellules fatiguées et malsaines sont remplacées par d'autres, si bien que ce processus ne se termine qu'avec la mort.

SUBSTANCES ÉNERGÉTIQUES

Toutes les personnes dépensent de l'**énergie**. Il en faut pour travailler, bouger, dormir, et même respirer. Ton corps se bâtit et se transforme. Par conséquent, l'organisme a davantage besoin d'énergie pour accomplir des activités physiques normales.

La machine humaine s'alimente en brûlant la nourriture qu'on absorbe afin d'en dégager l'**énergie** nécessaire aux diverses activités de la vie. Et actuellement, ta croissance demande encore plus d'**énergie**.

L'**énergie** contenue dans les aliments est principalement utilisée sous forme de travail mécanique par ton corps au moment de la contraction musculaire; c'est cette contraction qui produit de la chaleur et qui assure le maintien de la température corporelle à 37 °C.

La valeur énergétique des aliments se mesure en kilojoules (kJ). Ces derniers ne sont pas des éléments nutritifs. Il s'agit plutôt de la mesure de chaleur dégagée par le corps quand un aliment est brûlé. Ton corps peut transformer la nourriture en chaleur et en énergie. Un adolescent a besoin d'un minimum de 12 000 kJ par jour, une adolescente, 9 200 kJ.

TABLEAU 1
QUELQUES ALIMENTS ET LEUR VALEUR ÉNERGÉTIQUE

ALIMENTS	VALEUR ÉNERGÉTIQUE
1 poire fraîche	417 kJ
1 banane	440 kJ
1 carotte crue	85 kJ
250 mL de pâté chinois	1789 kJ
250 mL de maïs soufflé nature	102 kJ
1 gros œuf à la coque	330 kJ
15 mL de beurre d'arachides	405 kJ
1 biscuit *Graham* nature	114 kJ
1 bâtonnet de réglisse	145 kJ
250 mL de lait entier	663 kJ

Source: *Micheline Brault Dubuc et Liliane Caron Lahaie,* Valeur nutritive des aliments, *Montréal, Université de Montréal, 1987.*

SUBSTANCES RÉGULATRICES

Les phénomènes vitaux de ton organisme ne se déroulent normalement qu'en présence de **substances régulatrices**. Sans ces dernières, le corps humain ne peut utiliser ni les éléments de synthèse, ni les substances énergétiques.

Les substances régulatrices sont indispensables à ta vie et nécessaires à ta santé. Elles sont essentielles à la digestion, à l'élimination, au transport des éléments nutritifs et au maintien de la température du corps.

En résumé, les **substances régulatrices** jouent le rôle de transport, de **rouage**, et d'aide au fonctionnement normal de ton organisme.

2.1.3

FACTEURS INFLUANT SUR LES BESOINS NUTRITIONNELS

Les habitudes sont tenaces. Les coutumes familiales et les pratiques religieuses influencent les préférences alimentaires. La manière de manger et le choix des aliments diffèrent suivant la culture et l'origine ethnique de chaque personne.

Certains autres **facteurs** font varier les besoins nutritionnels; ce sont:
- l'âge et l'étape de développement;
- les conditions climatiques;
- le degré d'activité physique;
- l'état de santé;
- le sexe.

ÂGE ET ÉTAPE DE DÉVELOPPEMENT

Les bébés, les jeunes enfants, les adolescents et les adolescentes sont ceux qui ont le plus grand besoin d'une alimentation riche en éléments de synthèse. Une **carence** peut entraîner un arrêt de la croissance et affaiblir la résistance à l'infection et à la maladie. Ce besoin diminue avec l'âge.

L'adolescence est une période de vie caractérisée par des besoins alimentaires très particuliers. La croissance accélérée se traduit par l'augmentation rapide de la taille et de la masse corporelle accompagnée de la puberté et du développement intellectuel.

Source: Stéphanie Tanguay

L'adolescente ou l'adolescent qui fait du sport n'a pas les mêmes besoins que l'enfant de six ans et encore moins que ses grand-parents. Les habitudes que tu prends à ce stade de la vie auront des répercussions sur ta santé pendant de longues années à venir.

CONDITIONS CLIMATIQUES

L'été, quand il fait très chaud, tu as moins faim, tu manges davantage des aliments frais, et en quantité moindre qu'en hiver. Tu bois plus fréquemment lorsque tu te trouves au soleil et que tu transpires beaucoup. Les gens qui habitent les pays tropicaux consomment plus de fruits, de légumes et de repas légers que ceux qui habitent les pays nordiques.

DEGRÉ D'ACTIVITÉ PHYSIQUE

Lorsque tu consommes des aliments trop riches, en grande quantité, et que tu ne fais pas suffisamment d'exercice, ton système digestif se rebelle. Les personnes qui ont un travail manuel exigeant ou qui pratiquent un sport de compétition doivent par contre manger plus que celles qui dépensent moins d'énergie.

On peut considérer le corps comme une machine vivante et la nourriture comme la source d'énergie qui l'alimente. Une personne active a un plus grand besoin de substances énergétiques. N'oublie pas que ton cerveau carbure aussi!

TABLEAU 2
DÉPENSE ÉNERGÉTIQUE MOYENNE PAR HEURE POUR DES ACTIVITÉS DONNÉES

ACTIVITÉS	DÉPENSE ÉNERGÉTIQUE MOYENNE PAR HEURE EN KILOJOULES
Danse rapide	1846
Écriture	414
Hand-ball	3691
Marche	791
Ski alpin	1400
Sommeil	262
Tennis de table	1230

ÉTAT DE SANTÉ

Nous ne pouvons contrôler tous les événements qui peuvent avoir des conséquences sur notre santé, mais l'alimentation est un choix sur lequel nous avons prise. Par ailleurs, plus d'une maladie fait varier tes besoins nutritionnels à l'adolescence.

Certains professionnels et certaines professionnelles de la santé révèlent qu'un nombre croissant de jeunes souffrent aujourd'hui de troubles sérieux de l'alimentation comme l'anorexie et la boulimie. Ces sujets seront traités à l'objectif 2.1.5, qui porte sur l'image de soi.

L'obésité est à éviter à tout âge. Le diabète, l'**hypertension**, l'**anémie**, les maladies cardiaques et le cancer peuvent changer considérablement ton mode de vie et tes habitudes alimentaires.

Il arrive aussi que certaines conditions particulières, telles que la grossesse, l'allaitement, et la convalescence demandent un **apport** nutritionnel plus élevé.

SEXE

Avant la poussée de croissance, les garçons sont un peu plus grands que les filles (d'environ 2 pour cent). Entre 11 et 13 ans, les filles sont plus grandes, plus lourdes et plus fortes. Après leur poussée de croissance, les garçons deviennent plus gros et plus grands que les filles (d'environ 8 pour cent).

Le jeune homme acquiert plus de force et d'endurance grâce à un accroissement plus marqué du volume de ses muscles et de ses os. Néanmoins certaines filles paraissent plus costaudes à cause de leur constitution et d'un taux d'activité physique plus élevé.

Garçons et filles croissent différemment au cours de l'adolescence, d'où leurs proportions corporelles dissemblables. Qui a le plus d'appétit? C'est à toi d'y répondre!

Source: École secondaire Les Estacades

BESOIN NUTRITIONNEL ACCRU PENDANT L'ADOLESCENCE

L'adolescence est un âge de la vie qui est loin d'être facile: l'enfance est derrière soi et pourtant on ne fait pas encore partie du monde des adultes. C'est une période de bouleversements émotifs profonds résultant de changements physiques et psychologiques. C'est aussi une étape caractérisée par des besoins alimentaires plus particuliers.

On oublie souvent, à ce moment crucial, de satisfaire adéquatement ses besoins essentiels en nourriture. L'enfant grandit et s'étoffe. Les fortes poussées de croissance et tout le développement physique et intellectuel normal sont responsables, à cette période, de l'augmentation des besoins nutritionnels.

Source: Renée Deshaies

Un besoin accru d'éléments de synthèse (croissance, entretien et réparation des tissus) doit nécessairement être satisfait . De plus, l'adolescente et l'adolescent devront adopter de bonnes habitudes alimentaires, ce qui ne se réalisera pas du jour au lendemain.

CARACTÉRISTIQUES FAISANT VARIER L'APPORT NUTRITIONNEL À L'ADOLESCENCE

De nombreux changements physiologiques et psychologiques se manifestent à l'adolescence. Rappelle-toi les notions vues au premier module sur la description des besoins liés à cette période de ta vie.

Ton corps subit des transformations sur les plans de la croissance et de la sexualité. Parmi ces modifications, l'**accroissement rapide de ta taille et de ton poids** demande un apport nutritionnel plus grand.

Les manifestations diverses de la **puberté** exigent également une grande variation en rapport avec tes besoins nutritionnels.

D'autres éléments, non moins importants, comme le **budget familial**, ton **environnement**, les **habitudes culturelles** et l'**image que tu as de toi**, sont susceptibles d'influer sur tes besoins nutritionnels, toujours en considérant que tu es en pleine croissance.

ACCROISSEMENT RAPIDE DE LA TAILLE ET DU POIDS

Ces deux caractéristiques démontrent les premiers changements majeurs attribuables à ta croissance corporelle. Ce phénomène apparaît entre 8 et 13 ans chez la fille, et entre 10 et 16 ans chez le garçon.

La poussée de croissance est plus intense chez le garçon; elle arrive plus tard et dure plus longtemps.

Ton corps change, tes os allongent, s'épaississent et s'élargissent; ta silhouette se modifie. Tes muscles se développent davantage. Ton poids varie: il augmente, et cela est dû à l'accroissement de tes os et de tes muscles, ou il diminue car tu grandis considérablement et tu dépenses beaucoup d'énergie.

N'oublie pas qu'à cette période, bien te nourrir t'aide à demeurer en santé et en forme.

Source: Steven Thibeault

TABLEAU 3

BESOINS MOYENS D'ÉNERGIE

	ÂGE	TAILLE MOYENNE (CM)	POIDS MOYEN (KG)	BESOINS D'ÉNERGIE KJ/JOUR
GARÇONS	10-12	141	34	10 400
	13-15	159	50	12 000
	16-18	172	62	13 200
FILLES	10-12	143	36	9 200
	13-15	157	48	9 200
	16-18	160	53	8 800

Source: *Micheline Brault Dubuc et Liliane Caron Lahaie,* op. cit.*, page 167.*

PUBERTÉ

La période de l'adolescence est caractérisée par la maturation sexuelle. Les adolescents et les adolescentes acquièrent la capacité de se reproduire. Cette maturation entraîne une augmentation des dépenses énergétiques et, donc, exige une plus grande quantité d'aliments.

Une alimentation accrue doit rester équilibrée, c'est-à-dire n'apporter que ce qui est nécessaire à la formation du corps, à sa réparation et à son bon fonctionnement.

BUDGET FAMILIAL

Il est faux de prétendre que la richesse apporte automatiquement un surplus en matière d'alimentation. Malheureusement, il est aussi vrai que, pour certains groupes familiaux, les fins de mois arrivent trop vite. La nourriture n'est alors plus de première importance pour la santé des membres de la famille. Par le fait même, les besoins nutritionnels de chacune et de chacun ne sont plus satisfaits adéquatement.

Tes besoins demeurent très grands en cette période de croissance, même si le budget alloué aux achats alimentaires diminue considérablement. L'important, c'est de puiser dans de bons aliments toutes les substances nutritives essentielles à ton développement physique.

ENVIRONNEMENT

L'accroissement du niveau de vie, l'industrialisation, la multiplication des restaurants de toutes sortes et même le rythme de vie accélérée ont transformé nos comportements alimentaires.

Environ une fois par semaine, c'est dans un établissement de restauration rapide que tu te retrouves.

Les principales préoccupations reliées à la restauration rapide portent sur la teneur élevée en matières grasses et en kilojoules, et sur la faible teneur en fibres des aliments qu'on y consomme. Ces mauvaises habitudes alimentaires jouent un rôle dans l'**incidence** des maladies cardio-vasculaires.

Les nombreux produits chimiques utilisés en agriculture industrielle ont des effets secondaires sur les aliments que tu utilises et, par conséquent, sur tes besoins nutritionnels et ton état de santé. Par ailleurs, ils constituent l'un des principaux facteurs de pollution de l'environnement.

La contamination des aliments par la présence de **pesticides**, d'engrais chimiques ou de pluies acides amène de plus en plus de consommatrices et de consommateurs sensibilisés à se tourner vers les aliments dits «naturels» ou «biologiques».

Il est indéniable que l'agriculture biologique est plus saine et moins polluante que l'agriculture traditionnelle.

HABITUDES CULTURELLES

L'adolescence représente une période de développement d'une grande importance. C'est à ce moment-là que certaines habitudes alimentaires se transforment en accoutumances qui perdurent et qui auront des effets sur la santé dans les années à venir. Lorsque ces habitudes sont adoptées de façon quasi permanente par des groupes d'individus, elles deviennent des coutumes.

Selon son pays d'origine, sa culture, le climat, la situation géographique ou sa religion, chaque groupe ethnique a une façon particulière de se nourrir. Ses habitudes alimentaires influencent le choix et la quantité des aliments qu'il consomme.

Les besoins de l'organisme humain sont universels, mais l'apport nutritionnel à l'adolescence peut varier selon les habitudes culturelles. Les quelques exemples présentés permettent de découvrir les multiples aspects de l'alimentation chez différentes ethnies, dans divers coins du monde.

AMÉRINDIENS:
- le poisson est privilégié à longueur d'année;
- la consommation du gibier varie selon les saisons;
- le mode de cuisson le plus utilisé est la friture;
- les légumes et les fruits ne sont pas souvent au menu;
- le thé est populaire.

HAÏTIENS:
- vivant au Québec, ils conservent leurs habitudes acquises;
- les céréales constituent la base de l'alimentation (riz, maïs, **sorgho**);
- les aliments d'origine végétale fournissent la plus grande partie des **protéines**;
- les sauces sont préparées avec de grandes quantités de gras.

JUIFS:
- la chair de porc, l'anguille et les fruits de mer sont interdits;
- il est défendu de combiner la viande avec les produits laitiers;
- la viande doit être «**kascher**»;
- seuls les poissons avec écailles et nageoires sont permis.

MOYEN-ORIENT:
- les conserves et les aliments préparés sont peu utilisés;
- le riz est très populaire;
- la religion islamique interdit la consommation de porc;
- le yogourt nature fait partie des mets principaux;
- l'alcool est interdit aux musulmans.

VIETNAMIENS, CAMBODGIENS, LAOTIENS:
- leur alimentation privilégie les céréales, les fruits et les légumes;
- la cuisson se fait généralement à la vapeur;
- le riz est l'aliment de base;
- les poissons, la volaille, les légumineuses (dont le tofu) occupent une grande place;
- les légumes entrent dans la composition de presque tous les mets;
- la consommation de lait est minime.

Source: École secondaire La Calypso

«L'image corporelle est la représentation mentale que tu fais de ton corps et les pensées, sentiments, jugements et comportements que tu y associes.» (*Nutrition Actualité*, 1993)

L'image corporelle positive est un élément clé d'une estime de soi favorable. Tu es capable d'accepter ton caractère unique et de faire confiance à tes capacités et à tes talents. Tu te sens plus heureux ou plus heureuse.

L'image corporelle est une grande source d'inquiétude chez les adolescentes; les chercheurs et les chercheuses constatent que les garçons aussi commencent à se préoccuper de plus en plus de cette image.

La plupart des gens attachent une grande importance à leur image corporelle, à leur poids et à leur alimentation. Nous vivons dans une société qui idéalise la minceur et incite à tenir le gras en horreur.

«La publicité nous bombarde sans cesse d'images d'apparence physique impossibles à atteindre. La minceur est très largement véhiculée par les médias imprimés et électroniques ainsi que par l'industrie de la mode et de la santé physique. L'écho se répercute également trop souvent dans les familles et chez les amis.» (*Nutrition Actualité*, 1993)

À l'adolescence, l'image corporelle est en pleine **mutation** et le rapport avec la nourriture est souvent source de conflit. Pour être acceptés, certains et certaines ne reculent devant rien (diètes, excès d'exercices et grandes privations) pour atteindre ce qui leur semble être le poids idéal.

Une caractéristique de l'anorexie consiste en une perte de poids excessive résultant d'un régime sévère dans le but de devenir très mince. Les statistiques indiquent qu'entre 90 et 95 pour cent des cas d'anorexie touchent des filles.

La boulimie se caractérise par des modifications du poids et par des cycles de régime volontaire, une abondance d'aliments suivie de **purgations** visant à éliminer du corps la nourriture indésirable, et par l'exercice excessif.

Les conséquences physiques des mauvaises habitudes alimentaires chez les jeunes en pleine croissance peuvent être désastreuses. Une diminution des apports énergétiques et des éléments nutritifs nuit à l'apprentissage, à la concentration et à la réussite scolaire. À cela s'ajoutent un ralentissement de la croissance, une fragilité aux infections et un retard de la maturation sexuelle.

Ton corps t'appartient; tu en es l'unique propriétaire et personne n'a le droit de t'insulter, de te ridiculiser ni de t'humilier à cause de ton apparence. La réussite auprès de tes pairs ne s'évalue pas en fonction de ta minceur, mais plutôt par la fierté de tes réalisations et de tes succès dans la vie.

À TOI DE T'EXPRIMER!

1. Dans la vie quotidienne, que signifie pour toi «Manger pour vivre ou vivre pour manger»?

2. Nomme trois gestes que tu accomplis chaque jour, en matière d'alimentation, pour te conserver en santé.

3. Décris sommairement ce que tu ressens lorsque tu as faim.

4. Selon toi, pourquoi as-tu un plus grand besoin d'énergie à la période de l'adolescence?

5. Énumère cinq de tes aliments préférés. Indique s'ils sont nécessaires au bon fonctionnement de ton organisme.

6. Décris quatre situations où certaines cellules de ton corps doivent être réparées.

7. À quel moment de la journée dépenses-tu le plus d'énergie?

8. Rappelle-toi quelques changements physiologiques qui se manifestent à l'adolescence.
Peux-tu en nommer deux qui demandent un apport nutritionnel plus considérable?

9. Les besoins nutritionnels de l'organisme humain sont universels. Par contre, les habitudes alimentaires varient d'un groupe ethnique à l'autre.
Demande à un ami ou à une amie de culture différente ce qu'il ou elle retrouve le plus souvent dans son assiette.
Identifie bien l'ethnie ou le pays.

10. Quelle apparence donnes-tu à un adolescent ou une adolescente qui se sent bien dans sa peau et qui reflète une excellente santé?
Donne ta description en quelques lignes.

AS-TU COMPRIS?

1. Explique la notion de besoin nutritionnel.

2. Quels sont les trois besoins nutritionnels de l'organisme?

3. Associe chacun des verbes suivants aux besoins nutritionnels. Réponds par le ou les chiffres correspondants.

1. éléments de synthèse
2. substances énergétiques
3. substances régulatrices

a) éliminer
b) grandir
c) travailler
d) bien s'alimenter

e) cicatriser une plaie
f) vivre
g) prévenir l'infection
h) faire du sport

4. À la période de l'adolescence, certaines caractéristiques font varier les besoins nutritionnels.
Nomme les six caractéristiques énumérées dans ton manuel.

5. Chacune des phrases suivantes représente un facteur influençant tes besoins nutritionnels.
De quel facteur s'agit-il?

a) Stéphane mange plus que Tina, sa sœur jumelle.
b) Caroline s'entraîne 30 minutes par jour.
c) L'hiver, nous prenons plus de repas chauds.
d) Pier, qui a 13 ans, a autant d'appétit que son grand-père.
e) À l'adolescence, le garçon dépense plus d'énergie que la fille.
f) Karina a subi une intervention chirurgicale. Elle est actuellement en convalescence, à la campagne, chez sa tante.

6. Quel est le besoin nutritionnel le plus important à la période de l'adolescence?

7. Qui suis-je?
Une unité servant à mesurer la valeur énergétique des aliments.

8. Explique brièvement le rôle des éléments de synthèse.

9. Donne trois conséquences d'une mauvaise alimentation à la période de l'adolescence.

10. Décris une courte mise en situation dans laquelle les élèves de ta classe pourraient facilement reconnaître un des facteurs faisant varier les besoins nutritionnels: les conditions climatiques.

Classer les aliments selon les quatre groupes du *Guide alimentaire canadien pour manger sainement*

Le *Guide alimentaire canadien pour manger sainement* est un outil éducatif de base en matière d'alimentation. «Il répond aux besoins nutritionnels de tous les Canadiens et les Canadiennes de quatre ans et plus. Il suggère des conseils pour choisir des aliments de façon à combler les besoins en énergie et en éléments nutritifs pour une meilleure santé.»

Ce guide donne aux consommatrices et aux consommateurs des renseignements qui leur permettront d'acquérir de bonnes habitudes alimentaires en établissant leur menu quotidien. Ainsi, ils pourront réduire leur consommation en matières grasses, augmenter les **glucides** et les **fibres**, et diminuer leur apport en sel, en alcool et en caféine.

Les quatre groupes sont représentés par un arc-en-ciel sous les appellations suivantes: produits céréaliers, légumes et fruits, produits laitiers et viandes et substituts. Une catégorie «Autres aliments» englobe une vaste gamme de produits alimentaires et de boissons qui contribuent à rehausser la saveur des repas et à accroître le plaisir de manger.

Ce guide propose un éventail de portions qui tient compte des différents besoins de chacun et de chacune. Un nouveau titre bien significatif a été choisi afin de promouvoir l'importance d'une meilleure santé: le *Guide alimentaire canadien pour manger sainement*.

Le concept *Vitalité* «vise à aider les Canadiens et les Canadiennes à accroître leur bien-être général grâce à l'intégration de trois principes de vie: bien manger, être actif ou active et être bien dans sa peau.»

2.2.1

QUATRE GROUPES D'ALIMENTS DU GUIDE ALIMENTAIRE

Le *Guide alimentaire canadien pour manger sainement* suggère de savourer chaque jour des aliments choisis dans quatre groupes bien distincts. Ils sont présentés et répartis sous la forme d'un arc-en-ciel:

- les produits céréaliers;
- les légumes et les fruits;
- les produits laitiers;
- les viandes et les substituts.

Le guide alimentaire
CANADIEN
POUR MANGER SAINEMENT

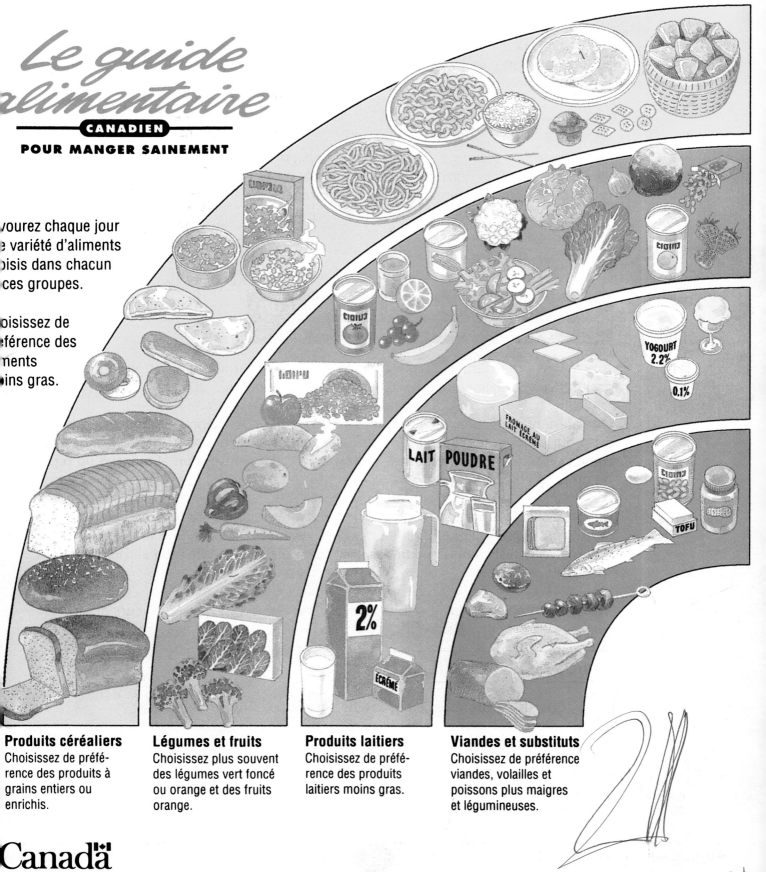

...vourez chaque jour
...e variété d'aliments
...oisis dans chacun
...ces groupes.

...oisissez de
...férence des
...ments
...ins gras.

Produits céréaliers
Choisissez de préfé-
rence des produits à
grains entiers ou
enrichis.

Légumes et fruits
Choisissez plus souvent
des légumes vert foncé
ou orange et des fruits
orange.

Produits laitiers
Choisissez de préfé-
rence des produits
laitiers moins gras.

Viandes et substituts
Choisissez de préférence
viandes, volailles et
poissons plus maigres
et légumineuses.

Canada

Un encadré indique comment les «Autres aliments», qui ne font pas partie de ces quatre groupes, peuvent aussi apporter saveur et plaisir à une bonne alimentation.

La classification des aliments dans ces quatre groupes et dans la catégorie «Autres aliments» repose sur les facteurs suivants:

- la denrée elle-même ou son origine agricole;
- l'utilisation que les consommatrices et les consommateurs font de ces aliments;
- leur apport nutritionnel;
- le fait que certains aliments ne peuvent être classés dans aucun des quatre groupes alimentaires.

Tous les groupes alimentaires sont essentiels puisque chacun fournit sa propre gamme d'éléments nutritifs. C'est l'ensemble de ce que tu manges au fil des jours qui constitue une alimentation bien équilibrée.

2.2.2

PRODUITS ALIMENTAIRES POUR CHACUN DES QUATRE GROUPES D'ALIMENTS

Aux leçons précédentes, tu as appris qu'une bonne alimentation est essentielle à une croissance normale et à un développement harmonieux.

Une alimentation saine est le résultat de l'ensemble des choix alimentaires que tu fais pour chacun des repas. «C'est l'ensemble des aliments consommés qui détermine la qualité de l'alimentation, et non la valeur nutritive d'un aliment, d'un repas ou du menu d'une journée.»

L'arc-en-ciel du *Guide* te fait des suggestions intéressantes sur le choix des aliments à consommer quotidiennement. Le message «Savourez chaque jour une variété d'aliments choisis dans chacun des groupes» t'offre ce que chaque aliment a de meilleur.

Varier, c'est adopter des produits aux formes, aux couleurs, aux saveurs et aux textures les plus diverses.

PRODUITS CÉRÉALIERS

Choisis de préférence des produits à grains entiers ou enrichis:

- pains et céréales à grains entiers ou enrichis;
- pâtes alimentaires;
- riz.

TABLEAU 4
VALEUR NUTRITIVE DES PRODUITS CÉRÉALIERS

Protéines	Thiamine B₁	Fer	Fibres
Protéines	**Thiamine B_1**	**Fer**	**Fibres**
Glucides	**Riboflavine B_2**	Zinc	
	Niacine B_3	Magnésium	
	Folacine		

Les aliments du groupe des produits céréaliers se présentent sous de nombreuses formes délicieuses et nutritives. Les céréales les plus connues sont le blé, l'avoine, le riz, le millet, le sarrasin, le maïs, l'orge et le seigle.

Blé   Avoine   riz   Millet   Sarrasin   Maïs   orge   seigle

Mais face à une véritable multiplication des **pains** sur les tablettes de l'épicerie, comment t'y retrouver?

Le pain de blé entier contient au moins 60 pour cent de farine de blé entier. Le pourcentage doit toujours figurer sur l'étiquette.

Le pain brun peut contenir de la farine de blé entier ou simplement tirer sa couleur de l'emploi de mélasse, de caramel, de cassonade ou de son. Observe donc bien l'étiquette pour en avoir le cœur net!

Un pain multigrains risque de renfermer des quantités plutôt modestes de chacun des grains sélectionnés.

Plus d'une centaine de produits sont susceptibles de se retrouver dans ton bol matinal.

Les **céréales à grains entiers** et les céréales de son possèdent une valeur nutritive supérieure et elles sont une importante source de fibres. La quantité de sucre ajoutée aux bonnes céréales varie d'une marque à l'autre: de pas ou peu sucrées (moins de 15 pour cent) à sucrées (plus de 15 pour cent).

Le processus de raffinage appauvrit considérablement la valeur nutritive de la céréale de départ. Pour l'enrichir, on lui ajoute alors quelques vitamines et minéraux qui ont été perdus lors de la transformation.

TABLEAU 5
DIFFÉRENTS TYPES DE CÉRÉALES PRÊTES À SERVIR

CÉRÉALES	EXEMPLES
céréales en flocons	flocons d'avoine, flocons de maïs
céréales filamentées	*Mini Wheats, Weetabix*
céréales soufflées	riz et blé soufflés
céréales extrudées (formes diverses)	*Cheerios*

Les céréales soufflées non enrichies contiennent très peu d'éléments nutritifs et de fibres.

Les céréales chaudes sont celles que l'on doit faire cuire: semoule de maïs, germe de blé, sarrasin, flocons d'avoine, blé concassé. Le grand avantage de ces céréales est qu'elles coûtent ordinairement moins cher que les céréales prêtes à servir.

Recherche les produits dont la mention «entier», précédée de la sorte de grain, figure au début de la liste des ingrédients, par exemple: «farine de blé entier», «blé entier». Fais-en ton premier choix. Sinon, opte pour les produits dont l'emballage indique qu'ils sont enrichis d'éléments nutritifs et de fibres.

Les nouvelles céréales **quinoa** et **triticale** suscitent un intérêt grandissant chez nous. Pourtant, elles sont connues dans les pays en voie de développement, là où elles sont nécessaires pour enrichir les régimes pauvres en protéines.

Les céréales, c'est vraiment bon, et pas seulement au petit déjeuner! Il faut essayer les plats sains et vraiment savoureux où elles sont en vedette. Remplace le **riz** blanc par du riz brun ou du riz sauvage, par du **bulghur** provenant du Moyen-Orient ou de l'Europe de l'Est, ou encore par du **couscous**, d'origine nord-africaine.

Le *Guide alimentaire canadien pour manger sainement* suggère et illustre quelques produits dérivés des céréales et de leur farine:

- pain de blé entier, de seigle, pain brun ou blanc, pain français ou pain italien;
- petits pains, bagels, pain pita, muffins, craquelins, biscottes, bannique (pain des Amérindiens);
- céréales de blé, de maïs, d'avoine, de riz et d'orge prêtes à servir et chaudes;
- riz et pâtes alimentaires.

Toutefois, il convient de consommer avec modération les biscuits, les gâteaux, les pâtisseries danoises, les croûtes de tarte, les beignets, les croissants, les craquelins plus gras, les céréales de type «granola» et les muffins, dont la teneur en matières grasses est plus élevée.

Les **pâtes alimentaires** sont des produits céréaliers très populaires. La plupart sont faites de **semoule** mélangée à de l'eau et pétrie pour faire une pâte ferme. Certaines contiennent aussi des œufs.

Les pâtes brun pâle sont faites de farine de blé entier; les vertes, d'un mélange de farine et de purée d'épinards ou d'autres légumes verts, et pour les pâtes rouges, on utilise des tomates réduites en purée. Étant donné que certaines pâtes alimentaires contiennent des colorants artificiels, il est préférable de lire les étiquettes.

Selon leur forme, on les classe comme suit:

- pâtes à potage (anneaux, bouclettes, roues, étoiles);
- pâtes coupées (coudes, rigatoni, plumes);
- pâtes longues (macaroni, spaghetti, vermicelles, linguine);
- pâtes en ruban (lasagnes, mafaldas, nouilles, yolandas);
- pâtes farcies et à farcir (ravioli, cannelloni, gnocchi);
- pâtes diverses (coquilles, hélices, torsades).

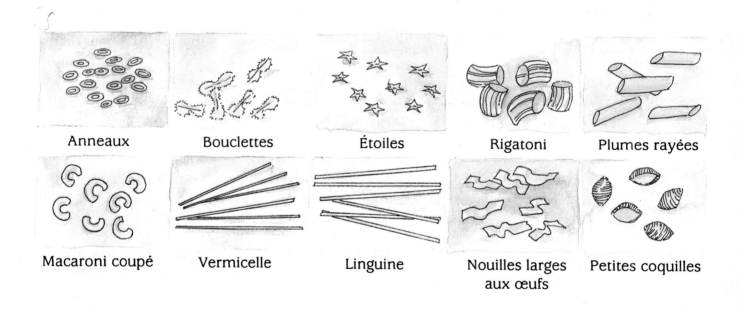

Anneaux   Bouclettes   Étoiles   Rigatoni   Plumes rayées

Macaroni coupé   Vermicelle   Linguine   Nouilles larges aux œufs   Petites coquilles

Les pâtes sont une excellente source de glucides, tout en étant pauvres en gras. Parce que l'organisme prend plus de temps à les digérer, elles fournissent en général une énergie plus durable; tu es donc rassasié ou rassasiée plus longtemps.

LÉGUMES ET FRUITS

Les légumes et les fruits sont importants pour la santé.

Les populations dont l'alimentation est riche en légumes et en fruits connaissent une incidence moins élevée de divers problèmes de santé.

On incite les consommatrices et les consommateurs à manger plus de légumes et de fruits, puisque, tout comme les produits céréaliers, ces aliments sont naturellement peu gras et sont riches en fibres alimentaires.

LÉGUMES

Choisis le plus souvent des légumes vert foncé ou orange:

- blancs;
- jaunes;
- rouges;
- verts.

TABLEAU 6
VALEUR NUTRITIVE DES LÉGUMES ET DES FRUITS

Glucides	Vitamine A	Fer	Fibres
	Thiamine B$_1$	Magnésium	
	Folacine		
	Vitamine C		

On appelle «légumes» des plantes potagères dont une partie est comestible, (mais ce n'est pas la même pour tous les légumes).

Les caractéristiques nutritionnelles des légumes, leur couleur, leur texture et leur saveur différentes en font un groupe d'aliments à privilégier à chaque repas.

La classification des légumes varie; certains et certaines les regroupent selon la partie comestible de la plante, d'autres les différencient selon leur couleur afin de repérer plus facilement leur valeur nutritive ainsi que leurs modes de cuisson.

Les **LÉGUMES BLANCS** qui sont présentés le plus souvent sur nos tables et dans nos assiettes sont: le chou-fleur, l'asperge, l'oignon, le panais, les variétés de pommes de terre, le salsifis, le navet, le poireau, le fenouil et le champignon.

Tu connais le **béta-carotène**? C'est le pigment qui colore les légumes verts et les **LÉGUMES JAUNES**. Parmi ceux que tu trouves à l'épicerie, nommons la carotte, le poivron, le haricot, la courge spaghetti, la tomate jaune, le piment-banane et le rutabaga.

Parmi les **LÉGUMES ROUGES** que tu consommes le plus souvent, on trouve: la betterave, le radichio, le chou, l'oignon, le poivron et le piment, les différentes variétés de tomates, l'aubergine et le radis.

Les **LÉGUMES VERTS** contiennent une grande quantité de **chlorophylle** et de bétacarotène. Les plus connus pour nous sont: l'asperge, les épinards, le brocoli, le chou de Bruxelles, le haricot, le poivron, le chou, les différentes sortes de laitue, le pois mange-tout, le petit pois, l'artichaut, le persil, le cresson, le céleri, le concombre, la courgette et les **têtes de violon** (crosses de fougère).

Les légumes peuvent faire partie d'un plat principal, être servis seuls, ou encore être intégrés à une recette combinée. Ils rehaussent et ils améliorent tous les plats qu'ils accompagnent ou dont ils font partie.

Il convient de consommer avec modération les légumes nappés de sauce à la crème, de beurre ou de margarine, ou encore servis en croûte ou frits, comme les rondelles d'oignon et les frites.

Tous les légumes frais, congelés ou en conserve ainsi que leur jus font partie intégrante du *Guide alimentaire canadien pour manger sainement.*

TABLEAU 7
CLASSIFICATION DES LÉGUMES SELON LEUR COULEUR

BLANCS	JAUNES	ROUGES	VERTS
asperge	carotte	aubergine	artichaut
champignon	courge spaghetti	betterave	asperge
chou-fleur	haricot	chou	brocoli
fenouil ✳	patate douce	oignon	céleri
navet	piment-banane ✳	piment	chou
oignon	poivron	poivron	chou de Bruxelles
panais ✳	rutabaga ✳	radis	concombre
poireau	tomate jaune	tomate	courgette
pommes de terre			cresson ✳
salsifis ✳			épinard
			haricot
			laitue
			persil
			petit pois
			poivron
			pois mange-tout
			tête de violon ✳
			(crosse de fougère) ✳

FRUITS

Choisis le plus souvent des fruits orange:

- agrumes;
- baies à graines;
- baies à pépins;
- drupes à noyau;
- fruits séchés;
- jus de fruits.

Le terme «fruit» s'applique à la partie de la plante qui comprend la graine et son enveloppe. La pulpe charnue est la partie comestible des fruits frais ou séchés.

Les **AGRUMES** sont des fruits recouverts d'une écorce plus ou moins épaisse. Leur chair juteuse et acidulée contient des pépins ou en est exempte, selon les variétés. Les agrumes ne mûrissent plus une fois cueillis. Les plus populaires sont: le citron, la clémentine, la lime, la mandarine, l'orange, le pamplemousse rose ou jaune, le tangelo, le kumquat et la sanguine. Ces fruits sont très riches en vitamine C.

Les fruits charnus à graines ou les petits fruits sauvages sans noyau poussent en abondance dans les potagers, les champs et les serres. On les appelle communément des **BAIES À GRAINES**. Tu distingues avec facilité les fraises des framboises, les mûres des myrtilles (bleuets), les groseilles des gadelles. La canneberge, ou atoca (nom amérindien), est le petit fruit rouge qui accompagne si bien la dinde.

Le kiwi, une baie ovale, a emprunté son nom exotique à la Nouvelle-Zélande, où il désigne à la fois le fruit et l'oiseau nationaux. Tu consommes aussi, avec plaisir, la multitude de petites baies rosées, juteuses et surettes de la pomme grenade. Et quel fruit tropical inusité, cette carambole! Une fois coupée, elle ressemble à une étoile. N'oublie pas que la banane est désignée aussi comme une baie.

On appelle d'autres fruits **BAIES À PÉPINS**. On trouve dans cette catégorie les poires, le tamarillo, les pommes, les raisins (les fruits les plus anciens et les plus répandus dans le monde), les coings et les melons. Les cerises, les abricots, les prunes, les pêches, les nectarines, les mangues, les avocats et les dattes ont en commun leur classification. Ce sont des **DRUPES**, car ils ont un noyau central.

Les **FRUITS SÉCHÉS** offerts dans le commerce sont séchés au soleil ou de façon mécanique. Ils sont privés d'une partie de leur eau. Mieux connus sous l'appellation de «fruits déshydratés ou secs», ils contiennent habituellement entre quatre et cinq fois plus d'éléments nutritifs que quand ils sont frais, ce qui les rend hautement énergétiques. Ces fruits **déshydratés** sont consommés tels quels ou après avoir été réhydratés, cuits ou non.

Ces fruits peuvent être consommés frais, mais pour en prolonger la conservation, on les déshydrate. Tu connais quelques-uns de ceux-ci: les dattes, les figues, les pommes, les pruneaux, les raisins, les bananes, les ananas, les abricots.

TABLEAU 8
CLASSIFICATION DES FRUITS

AGRUMES	BAIES À GRAINES	BAIES À PÉPINS	DRUPES À NOYAU	FRUITS SECS
citron	atoca ou canneberge	coing	abricot	datte
clémentine	banane	melon	avocat	figue
kumquat	carambole	poire	cerise	pruneau
lime	fraise	pomme	datte	raisin
mandarine	framboise	raisin	mangue	abricot
orange	gadelle	tamarillo	nectarine	ananas
pamplemousse	groseille		pêche	banane
sanguine	kiwi		prune	pomme
tangelo	myrtille (bleuet)			
	mûre			
	pomme grenade			

En plus de flatter et de rafraîchir tes papilles, les **jus de fruits** sont reconnus comme étant une excellente source de vitamines. Jus ou boissons? Pas évident au premier coup d'œil! Pour trouver la réponse, tu dois lire les petits caractères sur le bouchon ou le contenant. De plus, les jus frais pressés sont plus savoureux et plus nutritifs, mais ils coûtent plus cher.

PRODUITS LAITIERS

Choisis de préférence des produits moins gras:

- lait;
- fromage;
- yogourt;
- produits laitiers glacés;
- mets à base de lait.

TABLEAU 9
VALEUR NUTRITIVE DES PRODUITS LAITIERS

Protéines Matières grasses	Vitamine A **Riboflavine B$_2$** Cobalamine B$_{12}$ Vitamine D (lait)	**Calcium** Zinc Magnésium

Désaltérant, rafraîchissant et nourrissant, le **lait** offre une haute valeur nutritive par rapport à son coût.

Tous les types de lait, écrémé et partiellement écrémé, entier, évaporé, concentré et en poudre sont enrichis de vitamine D. Le lait servant à la fabrication de **babeurre**, de fromage, de yogourt ou de crème glacée n'est pas enrichi de cette vitamine.

Tous les laits frais et en poudre ont la même teneur en calcium et en vitamines. La vitamine A est **liposoluble**. Aussi, lors de l'écrémage du lait, il y a une perte de cette vitamine. Pour compenser cette perte, on ajoute de la vitamine A dans le lait écrémé et partiellement écrémé, comme il est bien indiqué sur les contenants.

TABLEAU 10
COMPARAISON DES VALEURS NUTRITIVES
DU LAIT ENTIER ET DU LAIT ÉCRÉMÉ

	PORTION	KILOJOULES	CALCIUM	PROTÉINES	VITAMINE A	LIPIDES
LAIT ENTIER	250 mL	663 kJ	308 mg	9 g	80 ER	2,08 g
LAIT ÉCRÉMÉ (0,1% M.G.)	250 mL	378 kJ	320 mg	9 g	158 ER	0,12 g

(ER: équivalent rétinol)

Source: Bureau laitier du Canada, Valeur nutritive des produits laitiers.

Il existe des différences importantes quant à la teneur en matières grasses des produits laitiers: le lait écrémé et le lait 1 % en contiennent très peu, contrairement à la crème sure, la crème glacée, la crème à café et la crème à fouetter (de 3 à 35 %).

Recherche la mention «% M.G.» sur les étiquettes de produits laitiers. Elle indique le pourcentage de matières grasses. Tu feras des découvertes surprenantes!

Certains **fromages** renferment plus de 30 % de matières grasses alors que d'autres, faits de lait écrémé, en contiennent aussi peu que 4 %. Si tu choisis un fromage plus gras, réduis la quantité à consommer. Le fromage cottage est une moins bonne source de calcium que les autres produits laitiers.

Le **yogourt**: un délice très ancien, de plus en plus apprécié aujourd'hui. Originaire de l'Asie, il est maintenant préparé à partir de lait de vache auquel on a ajouté des

ferments lactiques qui lui donnent son goût et son arôme. Le yogourt se mange nature aussi bien qu'aromatisé avec des fruits ou des essences naturelles. Facile à digérer, il est un aliment sain et rafraîchissant. Le yogourt constitue une excellente façon de prendre son lait!

Les **produits laitiers glacés** deviennent toujours fort populaires lors des grandes chaleurs. Le yogourt glacé présente une teneur en matières grasses inférieure à celle de la crème glacée mais contient plus de sucre. Les diverses marques n'ont pas les mêmes valeurs nutritives; en outre, certaines ne contiennent, au mieux, que de 40 à 50 pour cent de yogourt. Le lait glacé et les sorbets s'ajoutent à ce groupe.

Les glaçons parfumés et le tofu glacé ne sont pas des produits laitiers car ils ne contiennent pas de lait.

Le lait peut se consommer de nombreuses façons. Les mets à base de lait tels les blancs-mangers, les laits fouettés et de poule, les desserts au lait, les **chaudrées**, potages, crèmes et sauces sont reconnus comme étant des produits laitiers car le lait y figure comme premier ingrédient.

La représentation visuelle des produits laitiers dans le *Guide alimentaire canadien pour manger sainement* met l'accent sur les produits les plus pauvres en matières grasses.

VIANDES ET SUBSTITUTS

Choisis de préférence les viandes, les volailles, les poissons maigres et les légumineuses:

- **viandes maigres;**
- **abats;**
- **volaille;**
- **œufs;**
- **poissons;**
- **crustacés et mollusques;**
- **légumineuses;**
- **produits de l'arachide;**
- **noix et graines.**

TABLEAU 11
VALEUR NUTRITIVE DES VIANDES ET DES SUBSTITUTS

Protéines	Vitamine A (abats ou œufs)	**Fer**	Fibres
Matières grasses	Thiamine B_1	Zinc	(légumineuses)
Glucides (légumineuses)	Riboflavine B_2	Magnésium	
	Niacine B_3		
	Folacine		
	Cobalamine B_{12}		

La **VIANDE** est l'une des meilleures sources alimentaires de protéines (éléments de synthèse), en quantité et en qualité. Les viandes plus maigres contiennent peu d'infiltrations de graisse et on peut facilement en retirer le gras.

Le terme «viande» s'emploie surtout pour désigner la chair des animaux de boucherie: le bœuf, le veau, l'agneau, le porc, le cheval.

La valeur nutritive de la viande hachée est fortement influencée par sa teneur en gras; plus elle est parsemée de taches blanches, plus elle contient de gras.

Certaines autres parties des animaux sont comestibles; on les retrouve sous l'appellation **ABATS**. On distingue habituellement les abats rouges (cœur, foie, langue, **rognons**), des abats blancs (cervelle, **ris**, moelle, tête).

Le foie, plus connu, est un aliment que la médecine et la diététique traditionnelles recommandent de manger régulièrement, à cause de sa teneur élevée en vitamines A et B, et en minéraux, principalement le fer. On le prescrit notamment pour combattre l'anémie.

Voici les normes que doivent respecter les commerçantes et les commerçants au plan du pourcentage de matières grasses.
Catégorie extra-maigre: pas plus de 10 pour cent
Catégorie maigre: pas plus de 17 pour cent
Catégorie mi-maigre: pas plus de 23 pour cent
Catégorie ordinaire: pas plus de 30 pour cent

SUBSTITUT fort apprécié de la viande, la **VOLAILLE** a une place de choix au menu des Québécoises et des Québécois. Ce sont le dindon et le poulet qui apparaissent le plus souvent sur nos tables. Pour leur part, s'ils occupent une part minime du marché, l'oie, le canard, la caille, la perdrix et le faisan semblent susciter plus d'intérêt aujourd'hui qu'hier et permettent aussi de varier les repas.

L'usage habituel du mot **ŒUF** désigne l'œuf de poule; quand il s'agit d'autres espèces, leur nom est toujours mentionné. L'œuf a une grande valeur nutritive, ce qui n'est pas étonnant puisqu'il sert à reproduire la vie. Les éléments nutritifs de l'œuf se répartissent inégalement entre le blanc et le jaune. Ce dernier est toutefois riche en cholestérol.

TABLEAU 12
COMPARAISON ENTRE LE BLANC ET LE JAUNE DE L'ŒUF

ÉLÉMENTS NUTRITIFS	UN BLANC	UN JAUNE
Eau	88 pour cent	49 pour cent
Énergie	67 kJ	263 kJ
Protéines	3 g	3 g
Glucides	tr	tr
Lipides	tr	6 g
Cholestérol	0 mg	272 mg
Sodium	50 mg	8 mg
Calcium	4 mg	26 mg
Vitamine A	0 ER	94 ER

(ER: équivalent rétinal)

La valeur nutritive du poisson et des fruits de mer (crustacés et mollusques) conjugue qualité et quantité, ce qui permet de les substituer à la viande et à la volaille. Le **POISSON** est un aliment nourrissant et souvent plus économique qu'un repas de viande, puisqu'il occasionne généralement moins de perte et cuit plus rapidement que celle-ci. Choisis de préférence les poissons maigres comme l'aiglefin, le brochet, le doré et l'achigan, car ils renferment moins de cinq pour cent de matières grasses.

Il convient de consommer moins souvent la viande, le poisson et la volaille panés et frits, la volaille avec la peau, la charcuterie, les viandes hachées ordinaires et les poissons mis en conserve dans l'huile.

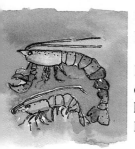

Les **CRUSTACÉS** sont des animaux aquatiques ayant une carapace; la plupart vivent dans la mer (crabe, crevette, homard, langouste et langoustine). Ils sont une excellente source de protéines et de minéraux tout en étant pauvres en matières grasses. Par contre, ils coûtent assez cher et leur taux de cholestérol est assez élevé.

Animaux invertébrés vivant dans une coquille protectrice, les **MOLLUSQUES**, tout comme les crustacés, possèdent une bonne valeur nutritive, mais ils sont parfois la cause de réactions allergiques chez les personnes plus sensibles. Au comptoir des fruits de mer, on trouve des mollusques en abondance à certaines périodes de l'année: les huîtres, les moules, les palourdes, les pétoncles, les calmars et les escargots.

Les **LÉGUMINEUSES**, ces aliments ancestraux et économiques, contiennent une mine d'éléments nutritifs. De plus, grâce à leur goût généralement peu prononcé, elles se marient bien avec plusieurs aliments et se prêtent à la préparation de quantité de plats savoureux. Le terme «légumineuse» désigne à la fois le fruit en forme de gousse et la famille des plantes les produisant. Elles portent aussi l'appellation de «légumes secs».

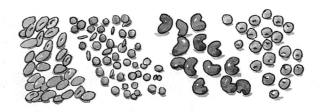

Il existe une grande variété de légumineuses, de toutes formes et de toutes couleurs: des fèves de Lima, des fèves de soya, des haricots blancs ou rouges, des lentilles, des pois cassés, des pois chiches, des gourganes. Elles sont riches en protéines végétales. Cependant, ces dernières ne sont pas d'aussi bonne qualité que les protéines animales, bien qu'il soit possible de les améliorer en les combinant.

Le **TOFU** est l'aliment-caméléon par excellence. Non seulement absorbe-t-il la saveur des préparations dans lesquelles on l'ajoute, mais il peut en quelque sorte adapter sa texture à celle des aliments pour mieux s'y intégrer. On extrait le tofu de la fève de soya. C'est un aliment nourrissant, riche en substances nutritives, pauvre en kilojoules et en gras, et il ne possède aucune trace de cholestérol.

De plus, cette légumineuse se prête à la préparation d'une foule de mets: hors-d'œuvre, soupes et potages, plats de résistance, salades, desserts, et repas légers. On attribue sa versatilité à son goût neutre qui s'harmonise parfaitement à toutes les saveurs salées, sucrées ou acides.

L'**ARACHIDE** a longtemps occupé une place de choix dans l'alimentation des peuples d'Amérique du Sud. Nourrissante et énergétique (100 grammes fournissent 2 465 kJ), elle est toutefois souvent difficile à digérer. On considère habituellement l'arachide comme une noix, mais c'est en fait une légumineuse qui se développe dans la terre. Le beurre d'arachides, consommé en quantité modérée, est un excellent substitut de la viande. Note par contre que ce produit est très riche en gras, mais qu'il a l'avantage de n'avoir aucune trace de cholestérol.

Pour résumer, voici un tableau des principales légumineuses.

TABLEAU 13
LÉGUMINEUSES

LENTILLES	POIS	HARICOTS	ARACHIDES
rouges	jaunes	de soya ⇒ tofu	
vertes	chiches	blancs ⇒ fèves au lard	
brunes	verts cassés	gourganes ⇒ soupes	
		de Lima	
		rouges	
		Pintos	

Amandes, avelines, pistaches, pacanes, noisettes, graines de sésame, graines de tournesol, graines de citrouille, noix de toutes sortes, voilà une liste d'aliments riches en éléments nutritifs divers. Malgré leur coût élevé, ces produits peuvent parfois servir de collations. Tu ne dois pas abuser des noix et des graines, car elles sont très riches en matières grasses et, de plus, leurs **protéines** sont dites **incomplètes**.

Source: Diane Lalancette

Bien que les noix et les graines fassent toujours partie du groupe «Viandes et substituts», elles ne sont plus représentées visuellement sur le *Guide alimentaire canadien pour manger sainement*, ne constituant pas un choix judicieux en raison de leur teneur élevée en gras.

Une catégorie «Autres aliments» figure au dos du feuillet du *Guide alimentaire canadien pour manger sainement*. Elle est constituée d'un très vaste éventail d'aliments que les Canadiennes et les Canadiens mangent ou boivent de façon courante, mais qui n'appartiennent à aucun des quatre groupes alimentaires. Ces aliments contribuent à accroître la saveur des repas et à augmenter le plaisir de manger, mais consomme-les avec modération. La catégorie «Autres aliments» comprend:

- *les aliments contenant surtout des matières grasses*: le beurre, la margarine, l'huile à cuisson, la mayonnaise, les vinaigrettes à base d'huile, le **«shortening»** et le **saindoux**;

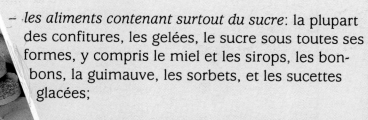

Source: Diane Lalancette

- *les aliments contenant surtout du sucre*: la plupart des confitures, les gelées, le sucre sous toutes ses formes, y compris le miel et les sirops, les bonbons, la guimauve, les sorbets, et les sucettes glacées;

- *les grignotines grasses ou salées*: les croustilles de pommes de terre et de maïs, les bretzels et les grignotines à saveur de fromage;

- *les boissons*: l'eau, le café, le thé, les boissons gazeuses, les boissons à saveur de fruits, l'alcool;

- *les herbes, les épices et les condiments:* l'origan, le poivre, le sel, la moutarde, les «relishes», le ketchup, les sauces à bifteck, le **raifort**, la sauce chili, les marinades, la sauce soya.

À TOI DE T'EXPRIMER!

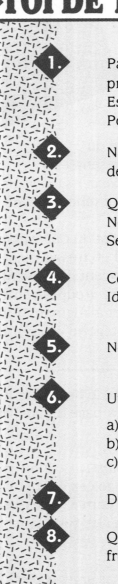

1. Parmi les quatre groupes alimentaires, il y en a sûrement un que tu préfères. Lequel?
Est-ce que tu pourrais te nourrir seulement de celui-là?
Pourquoi?

2. Nomme cinq aliments que tu considères comme «inutiles», c'est-à-dire des aliments qui n'apportent à l'organisme rien d'autre que des kilojoules.

3. Quelles sont tes céréales préférées?
Nommes-en deux sortes.
Selon toi, sont-elles bonnes pour la santé?

4. Ce matin, tu as mangé deux rôties avec du beurre d'arachides.
Identifie la sorte de pain que tu as choisie.

5. Nomme cinq légumes verts.

6. Utilise un légume de ton choix:

a)   comme plat principal;
b)   comme accompagnement;
c)   comme collation.

7. Définis dans tes mots ce qu'est un fruit.

8. Quelle différence fais-tu entre un jus de fruit et une boisson aux fruits?

9. Il existe une très grande variété de laits.
Énumère cinq sortes de laits que tu connais bien.

10. Parmi les aliments que tu consommes régulièrement, crois-tu reconnaître des légumineuses?
Si oui, nommes-en au moins trois.
Sinon, cherches-en trois.

A**S**-TU COMPRIS?

1. Les quatre groupes alimentaires sont représentés par un arc-en-ciel. Nomme ces groupes.

2. Le *Guide alimentaire canadien pour manger sainement* recommande d'adopter une saine alimentation par des messages-clés.
Écris deux messages que tu peux repérer sur le *Guide*.

3. Les aliments ne faisant pas partie des principaux groupes sont classés dans une catégorie à part.
Comment se nomme cette catégorie?

4. Fais une liste des céréales (au moins trois) que tu peux servir chaudes.

5. Chaque jour, tu consommes des produits céréaliers. Tu as déjà remarqué l'emballage; tu y retrouves l'énumération des ingrédients.
Écris celui qui est en tête de liste.

6. Certains produits céréaliers doivent être consommés avec modération à cause d'une plus haute teneur en matières grasses.
Énumère cinq de ces aliments.

7. Classe les légumes selon leur couleur et énumères-en cinq pour chacune des classifications.

8. Réalise une fiche sur laquelle tu inscriras la classification des fruits et une énumération de trois fruits appartenant à chacune des classes.

9. Explique sommairement ce que sont les «fruits séchés ou secs».
Nomme ceux que tu connais bien.

10. Cherche cinq recettes que tu peux réaliser facilement avec du lait (évidemment, le lait doit en être l'aliment de base).
Écris seulement le titre de la recette.

11. La viande peut facilement se remplacer par d'autres aliments qu'on appelle des substituts.
Nomme cinq substituts.

12. Différencie les mollusques des crustacés en donnant deux exemples pour chacun.

13. Définis ce qu'est une légumineuse.

14. Explique ce qu'est une alimentation saine.

15. Une catégorie «Autres aliments» figure au dos du feuillet du *Guide alimentaire canadien pour manger sainement*.
Énumère les cinq types d'aliments mentionnés.

Déterminer les fonctions et les principales sources des constituants alimentaires

Les constituants alimentaires que tu puises dans les aliments sont des substances nutritives essentielles à ta santé.

Bien que les exigences alimentaires varient d'un individu à l'autre, tu as continuellement besoin des éléments nutritifs de chacun des quatre groupes du *Guide alimentaire canadien pour manger sainement.*

Les aliments que tu choisis comblent les dépenses énergétiques de ton corps, assurent ta croissance, entretiennent et renouvellent tes tissus tout en soutenant le fonctionnement normal de tes organes vitaux.

Pour éviter les excédents nuisibles à ta santé ou les lacunes qui empêchent ton organisme de fonctionner normalement, tu dois être capable de déterminer les fonctions et les principales sources de chacun des constituants alimentaires. Ces derniers sont: les protéines, les glucides, les lipides ou les matières grasses, les minéraux, les vitamines, l'eau et les fibres alimentaires.

Chaque constituant alimentaire répond à un besoin nutritionnel de ton organisme. Ces constituants sont présents dans les aliments que tu consommes quotidiennement et ils travaillent en interdépendance. Ils constituent des ressources importantes pour la satisfaction de tes besoins nutritionnels.

Ainsi, ta santé et ton bien-être dépendent de la qualité et du choix des aliments que tu consommes.

2.3.1

DÉFINITION D'UN CONSTITUANT ALIMENTAIRE

La belle pomme rouge et juteuse que tu dégustes à l'heure de la collation fait partie des aliments que tu choisis pour satisfaire ta sensation de faim.

Source: Renée Deshaies

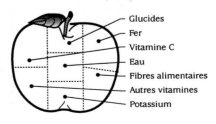

Glucides
Fer
Vitamine C
Eau
Fibres alimentaires
Autres vitamines
Potassium

Cette pomme que tu avales renferme différents éléments nutritifs qui aident au bon fonctionnement de tout ton système. Ces éléments se nomment des constituants alimentaires ou nutriments.

Un constituant alimentaire est une substance nutritive contenue dans certains aliments et dont l'organisme a besoin pour fonctionner.

Tous les éléments nutritifs dont ton corps a besoin pour être en bonne santé proviennent de la nourriture ingérée ou sont fabriqués par ton organisme.

Chaque aliment contient une quantité variable de constituants alimentaires; ils sont rendus utilisables par ton organisme grâce à la digestion ou à l'assimilation des aliments.

Le *Guide alimentaire canadien pour manger sainement* te propose des groupes d'aliments qui te fournissent tous les constituants alimentaires en quantités importantes pour t'assurer une meilleure santé. À l'objectif précédent, on t'a présenté des tableaux des valeurs nutritives de chacun des groupes d'aliments. Tu peux les consulter au besoin.

2.3.2

LES CONSTITUANTS ALIMENTAIRES

Les aliments sont des substances qui servent de nourriture à l'organisme. Différents par leur forme, leur couleur, leur dimension ou leur goût, ils apportent, chacun à leur façon, les éléments nutritifs dont ton système a besoin pour bien fonctionner.

Chaque groupe du *Guide* fournit un éventail d'éléments nutritifs. Toutefois, la teneur de ces derniers est différente d'un aliment à l'autre au sein d'un même groupe. Les constituants alimentaires indispensables à la vie et nécessaires au maintien de ta santé sont:

- **les protéines;**
- **les glucides;**
- **les lipides;**
- **les minéraux;**
- **les vitamines;**
- **l'eau;**
- **les fibres alimentaires.**

Tous les constituants alimentaires travaillent ensemble comme dans une équipe, leurs fonctions étant interdépendantes.

FONCTIONS DES CONSTITUANTS ALIMENTAIRES

ALIMENTS, FONCTIONS ET SOURCES DES CONSTITUANTS ALIMENTAIRES

Pour faciliter la réalisation et la compréhension de ces deux objectifs intermédiaires, leurs contenus notionnels ont été regroupés dans différents tableaux-synthèse.

Les constituants alimentaires sont des éléments indispensables à la vie, au maintien de l'énergie et de la santé. Ils remplissent des fonctions bien spéciales dans l'organisme humain:

- **ils jouent un rôle dans la synthèse des tissus (croissance, réparation et entretien);**
- **ils sont une source d'énergie;**
- **ils maintiennent la régulation des fonctions de l'organisme.**

Les constituants alimentaires se trouvent en proportions variées dans les aliments et, parfois, certains en sont absents. Les constituants alimentaires ont des fonctions différentes qui répondent aux besoins nutritionnels de ton organisme.

TABLEAU 14

CONSTITUANTS ALIMENTAIRES	BESOINS NUTRITIONNELS
Protéines	Synthèse des tissus
Glucides	Sources d'énergie
Lipides (matières grasses)	Sources d'énergie
Minéraux	Régulation et synthèse des tissus
Vitamines	Régulation
Eau	Régulation
Fibres alimentaires	Régulation

PROTÉINES

Présentes dans toutes les cellules de l'organisme.

FONCTIONS:	SYNTHÈSE DES TISSUS: – croissance, – réparation, – entretien;

- construisent les os, les muscles, la peau;
- améliorent la qualité des cheveux et des ongles;
- fabriquent des **enzymes** et des hormones;
- aident à satisfaire l'appétit à cause de leur assimilation plus lente;
- forment des anticorps pour lutter contre l'infection;
- réparent les tissus brisés.

Source d'énergie	**1 gramme fournit 17 kJ**
Besoin accru à l'adolescence	**Apport quotidien** **13–15 ans → 42 à 50 g**

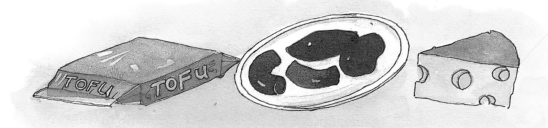

PRINCIPALES SOURCES DES PROTÉINES

PRODUITS CÉRÉALIERS	LÉGUMES ET FRUITS	PRODUITS LAITIERS	VIANDES ET SUBSTITUTS	AUTRES
• Céréales à grains entiers • Pain • Riz • Pâtes alimentaires • Farine • Chapelure		• Lait • Fromage • Yogourt • Desserts à base de lait	• Abats • Viande • Poisson • Volaille • Crustacés • Mollusques • Œufs • Légumineuses (Tofu) • Noix et graines • Gibier • Boudin	

GLUCIDES

Tous les êtres vivants ont besoin d'énergie.

FONCTIONS:	• **SOURCE D'ÉNERGIE:** le régime alimentaire des Canadiens et des Canadiennes devrait fournir 55 pour cent de la quantité totale d'énergie sous forme de glucides; • alimentent l'organisme en combustible; • aident au fonctionnement du cerveau et du système nerveux.

Source d'énergie	**1 gramme fournit 17 kJ**

Types de glucides: – amidon;
                    – fibres alimentaires;
                    – sucres.
	**Besoins d'énergie par jour
	13–15 ans → 9 200 à 12 000 kJ**

Le *Guide alimentaire pour manger sainement* met l'accent sur les GLUCIDES en plaçant les groupes «Produits céréaliers» et «Légumes et fruits» dans les arcs externes du motif de l'arc-en-ciel, et en évoquant un large éventail d'aliments pour chacun de ces deux groupes.

PRINCIPALES SOURCES DES GLUCIDES

PRODUITS CÉRÉALIERS	LÉGUMES ET FRUITS	PRODUITS LAITIERS	VIANDES ET SUBSTITUTS	AUTRES
• Pain • Céréales • Riz • Pâtes alimentaires • Farine	• Frais • En conserve • Congelés • Séchés • Jus • Limonades congelées, concentrées	• Lait • Yogourt • Crèmes servies comme soupes	• Légumineuses	• Sirop d'érable • Miel • Confitures • Bonbons • Sucre • Cassonade

LIPIDES

Principale source d'énergie concentrée de l'organisme.

FONCTIONS:	• **SOURCE D'ÉNERGIE:** le régime alimentaire des Canadiens et des Canadiennes ne devrait pas leur fournir plus de 30 pour cent de la quantité totale d'énergie sous forme de lipides;

• ont une assimilation lente, ce qui calme plus rapidement la sensation de faim;
• améliorent la saveur des aliments et les rendent plus onctueux;
• maintiennent la température corporelle à un niveau normal;
• fournissent de la chaleur à l'organisme;
• servent au transport des vitamines liposolubles: A, D, E et K.

Source d'énergie	1 gramme fournit 37 kJ
Appelés aussi matières grasses	Besoins d'énergie par jour 13–15 ans → 9 200 à 12 000 kJ

Une alimentation riche en lipides est associée à une augmentation de l'incidence des maladies cardio-vasculaires et de certains cancers. Néanmoins, les aliments plus gras peuvent aussi faire partie d'une alimentation saine si on les consomme avec modération.

PRINCIPALES SOURCES DES LIPIDES

PRODUITS CÉRÉALIERS	LÉGUMES ET FRUITS	PRODUITS LAITIERS	VIANDES ET SUBSTITUTS	AUTRES
• Croissants • Pain au fromage • Feuilletés • «Granola» • Tartes • Biscuits	• Avocats • Olives • Noix de coco	• Lait entier • Fromage • Crème glacée • Crème sure	• Viande • Volaille • Charcuterie • Poisson • Arachides • Noix • Jaune d'œuf	• Huile • Beurre • Graisse • Margarine • Mayonnaise • Crème • Vinaigrette • Chocolat • Croustilles

EAU

FONCTIONS:

- **RÉGULATION:** indispensable au maintien de la vie;

- est nécessaire à la digestion, à la circulation et au transport des éléments nutritifs;
- contribue aux réactions chimiques;
- permet l'élimination des déchets;
- maintient la température corporelle.

On peut absorber de l'eau en consommant la plupart des aliments.

L'eau est la composante du sang et elle est présente dans toutes les cellules de l'organisme.	On doit en boire de six à huit verres chaque jour

Source:
Renée Deshaies

PRINCIPALES SOURCES D'EAU

PRODUITS CÉRÉALIERS	LÉGUMES ET FRUITS	PRODUITS LAITIERS	VIANDES ET SUBSTITUTS	AUTRES
	• Légumes • Fruits • Leurs jus	• Lait		• Soupes • Bouillons • Eau pure • Eau embou-teillée • Boissons gazeuses • Thé • Café • Tisanes

FIBRES ALIMENTAIRES

FONCTIONS:	
	• **RÉGULATION:** ce sont les composantes fibreuses des aliments, telles que la pelure des fruits ou des légumes, le grain des céréales, les légumineuses;
	• favorisent une élimination régulière;
	• jouent un rôle sur les plans de la qualité et de la quantité de cholestérol sanguin;
	• protègent contre le cancer du côlon;
	• préviennent la constipation.

La partie des matières végétales qui n'est pas digérée par les sécrétions du système digestif de l'être humain.

Les fibres alimentaires font partie des glucides.

Afin de tirer profit de toutes les sortes de fibres, il faut avoir un menu varié, et surtout boire beaucoup d'eau.	Apport quotidien 30 g

PRINCIPALES SOURCES DE FIBRES ALIMENTAIRES

PRODUITS CÉRÉALIERS	LÉGUMES ET FRUITS	PRODUITS LAITIERS	VIANDES ET SUBSTITUTS	AUTRES
• Son • Céréales de son • Pain et céréales à grains entiers	• Fruits séchés • Fruits et légumes crus ou cuits		• Légumineuses • Noix • Graines	

TABLEAU 15
POURCENTAGE DE FIBRES DE CERTAINS ALIMENTS (PAR 100 GRAMMES)

ALIMENTS	POURCENTAGE DE FIBRES	ALIMENTS	POURCENTAGE DE FIBRES
Son, 100 pour cent	30,1	Biscuits *Graham*	10,1
Maïs soufflé	16,5	Beurre d'arachides	7,6
Noix de coco fraîches	13,6	Carottes fraîches	3,3
		Cerises fraîches	1,7

CALCIUM

| FONCTIONS: | • **RÉGULATION ET SYNTHÈSE DES TISSUS;** |

- minéralise les os et les dents;
- assure le bon fonctionnement du système nerveux, du rythme cardiaque;
- permet une coagulation normale du sang;
- aide à prévenir l'ostéoporose.

Apport quotidien
13–15 ans → 800 à 1 200 mg

PRINCIPALES SOURCES DE CALCIUM

PRODUITS CÉRÉALIERS	LÉGUMES ET FRUITS	PRODUITS LAITIERS	VIANDES ET SUBSTITUTS	AUTRES
• Farine de soya • Chapelure	• Épinards • Brocoli • Rhubarbe • Abricots séchés • Cantaloup	• Lait • Fromage • Yogourt	• Mollusques et crustacés • Saumon avec les os • Légumineuses • Graines de soya • Noix	• Mélasse • Crème • Cassonade • Sardines en conserve

FER

FONCTIONS:	• **RÉGULATION ET SYNTHÈSE DES TISSUS;**

- maintient la santé du sang;
- se combine avec les protéines pour former l'hémoglobine, partie constituante des globules rouges qui transportent l'oxygène et le gaz carbonique;
- prévient l'anémie;
- maintient la résistance à l'infection.

Apport quotidien
13–15 ans → 12 à 13 mg

PRINCIPALES SOURCES DE FER

PRODUITS CÉRÉALIERS	LÉGUMES ET FRUITS	PRODUITS LAITIERS	VIANDES ET SUBSTITUTS	AUTRES
• Céréales à grains entiers ou enrichis • Céréales pour bébé	• Légumes verts feuillus • Fruits séchés • Pommes de terre (pelure)		• Graines de citrouille • Foie • Viande rouge • Légumineuses • Abats • Jaune d'œuf • Noix	

PHOSPHORE

FONCTIONS:

- **RÉGULATION ET SYNTHÈSE DES TISSUS;**

- permet la formation et le maintien de dents et d'os forts.

Apport quotidien
13–15 ans → 800 à 1 200 mg

PRINCIPALES SOURCES DE PHOSPHORE

PRODUITS CÉRÉALIERS	LÉGUMES ET FRUITS	PRODUITS LAITIERS	VIANDES ET SUBSTITUTS	AUTRES
		• Lait • Fromage • Yogourt • Desserts à base de lait	• Viande • Abats • Poisson • Foie de veau • Volaille • Œufs • Noix • Graines	

MAGNÉSIUM

FONCTIONS:

- **RÉGULATION ET SYNTHÈSE DES TISSUS;**

- agit sur la plupart des fonctions vitales;
- permet la formation et le maintien de dents et d'os forts;
- favorise le métabolisme de l'énergie et la formation des tissus.

Apport quotidien
13–15 ans → 250 mg

PRINCIPALES SOURCES DE MAGNÉSIUM

PRODUITS CÉRÉALIERS	LÉGUMES ET FRUITS	PRODUITS LAITIERS	VIANDES ET SUBSTITUTS	AUTRES
• Céréales à grains entiers • Germe de blé	• Épinards • Fruits séchés • Légumes verts	• Lait en poudre • Yogourt • Fromage	• Noix • Foie • Graines de tournesol • Huîtres • Crabe • Œufs	• Algues

FONCTIONS:

- **RÉGULATION ET SYNTHÈSE DES TISSUS;**

- transmet le flux nerveux;
- favorise le métabolisme cellulaire.

Apport quotidien
13–15 ans → 9 mg

PRINCIPALES SOURCES DE SODIUM

PRODUITS CÉRÉALIERS	LÉGUMES ET FRUITS	PRODUITS LAITIERS	VIANDES ET SUBSTITUTS	AUTRES
• Céréales • Pain • Croissants	• Légumes en conserve • Olives	• Certains fromages	• Produits de charcuterie • Lapin • Hareng fumé • Caviar	• Levure • Sel • Marinades • Croustilles • Margarine

FLUOR

FONCTIONS:

- **RÉGULATION ET SYNTHÈSE DES TISSUS;**

- prévient la carie dentaire et l'ostéoporose.

Apport quotidien
13–15 ans → 2 à 5 mg

PRINCIPALES SOURCES DE FUOR

PRODUITS CÉRÉALIERS	LÉGUMES ET FRUITS	PRODUITS LAITIERS	VIANDES ET SUBSTITUTS	AUTRES
			• Poissons de mer	• Eau fluorée • Thé

ZINC

FONCTIONS:	• **RÉGULATION ET SYNTHÈSE DES TISSUS;** • accélère la cicatrisation; • favorise le métabolisme de l'énergie et la formation des tissus.
	Apport quotidien **13–15 ans → 10 mg**

PRINCIPALES SOURCES DE ZINC

PRODUITS CÉRÉALIERS	LÉGUMES ET FRUITS	PRODUITS LAITIERS	VIANDES ET SUBSTITUTS	AUTRES
• Grains entiers • Germe de blé		• Lait	• Fruits de mer • Viande rouge • Foie • Œufs • Légumineuses	

IODE

FONCTIONS:

- **RÉGULATION ET SYNTHÈSE DES TISSUS;**

- contribue au bon fonctionnement de la glande thyroïde.

	Apport quotidien 13–15 ans → 110 à 140 µg

PRINCIPALES SOURCES D'IODE

PRODUITS CÉRÉALIERS	LÉGUMES ET FRUITS	PRODUITS LAITIERS	VIANDES ET SUBSTITUTS	AUTRES
			• Poisson de mer	• Sel de table iodé • Algues • Varech

A

FONCTIONS:	• **RÉGULATION;**
	• assure le développement normal des os et des dents;
	• facilite la vue dans l'obscurité;
	• maintient la peau et les muqueuses en bon état;
	• combat les infections.

LIPOSOLUBLE	**Apport quotidien** **13–15 ans → 800 à 1 000 ER**

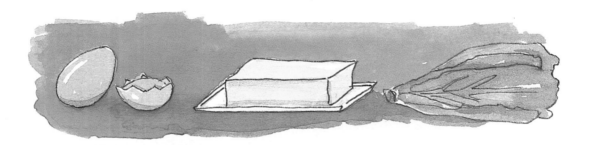

PRINCIPALES SOURCES DE VITAMINE A

PRODUITS CÉRÉALIERS	LÉGUMES ET FRUITS	PRODUITS LAITIERS	VIANDES ET SUBSTITUTS	AUTRES
	• Légumes verts • Légumes jaune foncé • Fruits foncés • Melon d'eau • Nectarines • Courge d'hiver	• Lait	• Jaune d'œuf • Foie • Rognons	• Beurre • Margarine

D

FONCTIONS:

- **RÉGULATION;**

- favorise l'utilisation du calcium et du phosphore pour la formation et le maintien de dents et d'os forts.

LIPOSOLUBLE **VITAMINE SOLEIL**	**Apport quotidien** **13–15 ans → 2,5 µg**

PRINCIPALES SOURCES DE VITAMINE D

PRODUITS CÉRÉALIERS	LÉGUMES ET FRUITS	PRODUITS LAITIERS	VIANDES ET SUBSTITUTS	AUTRES
		• Lait enrichi	• Poissons gras • Jaune d'œuf • Huîtres • Foie	• Huiles de foie de poisson • Margarine

E

FONCTIONS:

- **RÉGULATION;**

  - permet la formation des globules rouges;
  - protège les réserves de vitamine A;
  - maintient la santé des membranes par sa fonction antioxydante.

LIPOSOLUBLE NOM: TOCOPHÉROL	**Apport quotidien** **13–15 ans → 7 à 9 mg**

PRINCIPALES SOURCES DE VITAMINE E

PRODUITS CÉRÉALIERS	LÉGUMES ET FRUITS	PRODUITS LAITIERS	VIANDES ET SUBSTITUTS	AUTRES
• Riz brun • Céréales à grains entiers • Germe de blé	• Fruits • Légumes verts		• Graines • Noix • Foie • Jaune d'œuf	• Huile végétale • Margarine

K

FONCTIONS:

- **RÉGULATION;**

- est un facteur de coagulation normale du sang (synthétisée par la flore intestinale).

LIPOSOLUBLE	**Apport quotidien** 13–15 ans → 8 à 10 µg

PRINCIPALES SOURCES DE VITAMINE K

PRODUITS CÉRÉALIERS	LÉGUMES ET FRUITS	PRODUITS LAITIERS	VIANDES ET SUBSTITUTS	AUTRES
• Avoine • Son de blé	• Légumes verts feuillus • Légumes jaunes	• Lait • Yogourt	• Foie de bœuf • Jaune d'œuf	• Algues • Varech • Huile

B$_1$

FONCTIONS:
- **RÉGULATION;**

- libère l'énergie des glucides;
- favorise la croissance normale et l'appétit.

HYDROSOLUBLE NOM: THIAMINE	Apport quotidien 13–15 ans → 1,1 à 1,5 mg

PRINCIPALES SOURCES DE VITAMINE B$_1$

PRODUITS CÉRÉALIERS	LÉGUMES ET FRUITS	PRODUITS LAITIERS	VIANDES ET SUBSTITUTS	AUTRES
• Germe de blé • Céréales à grains entiers et enrichies	• Légumes verts • Petits pois • Pommes de terre		• Jaune d'œuf • Graines de tournesol • Noix • Bœuf • Porc • Foie • Rognons • Légumineuses	• Levure

B₂

FONCTIONS:

- **RÉGULATION;**

  - conserve la peau et les yeux en bon état;
  - contribue au bon fonctionnement de l'organisme;
  - contribue à la libération de l'énergie pour les cellules.

HYDROSOLUBLE NOM: RIBOFLAVINE	**Apport quotidien** 13–15 ans → 1,2 à 1,9 mg

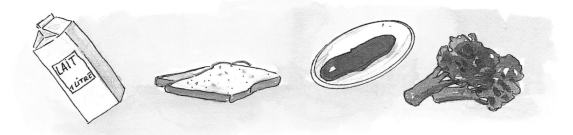

PRINCIPALES SOURCES DE VITAMINE B₂

PRODUITS CÉRÉALIERS	LÉGUMES ET FRUITS	PRODUITS LAITIERS	VIANDES ET SUBSTITUTS	AUTRES
• Pains et céréales à grains entiers et enrichis	• Légumes verts feuillus • Brocoli	• Lait • Fromage • Yogourt	• Foie • Saumon • Œufs • Amandes • Abats • Viande	• Levure

B₃

FONCTIONS:

- **RÉGULATION;**

- aide à la croissance et au développement normaux;
- contribue au fonctionnement normal du système nerveux et de l'appareil digestif.

HYDROSOLUBLE NOM: NIACINE	Apport quotidien 13–15 ans → 15 à 19 mg

PRINCIPALES SOURCES DE VITAMINE B₃

PRODUITS CÉRÉALIERS	LÉGUMES ET FRUITS	PRODUITS LAITIERS	VIANDES ET SUBSTITUTS	AUTRES
• Pain • Céréales à grains entiers et enrichies	• Tomates • Petits pois • Pommes de terre	• Lait • Fromage	• Fruits de mer • Abats • Foie • Œufs • Poisson • Volaille • Beurre d'arachides • Viande	• Levure

FOLACINE

FONCTIONS:

- RÉGULATION;

- joue un rôle dans la formation des globules rouges du sang.

HYDROSOLUBLE **AUTRE NOM: ACIDE FOLIQUE**	**Apport quotidien** 13–15 ans → 160 µg

PRINCIPALES SOURCES DE FOLACINE

PRODUITS CÉRÉALIERS	LÉGUMES ET FRUITS	PRODUITS LAITIERS	VIANDES ET SUBSTITUTS	AUTRES
• Germe de blé • Pain de blé entier	• Champignons • Asperges • Brocoli • Épinards • Citrons • Cantaloup • Fraises • Bananes		• Foie • Rognons • Légumineuses • Graines de • tournesol • Abats	• Levure

B$_{12}$

FONCTIONS:

- **RÉGULATION;**

- assure la formation de globules rouges sains;
- maintient les tissus nerveux et gastro-intestinaux en bon état.

HYDROSOLUBLE NOM: COBALAMINE	Apport quotidien 13–15 ans → 3 µg

PRINCIPALES SOURCES DE VITAMINE B$_{12}$

PRODUITS CÉRÉALIERS	LÉGUMES ET FRUITS	PRODUITS LAITIERS	VIANDES ET SUBSTITUTS	AUTRES
		• Lait • Produits laitiers	• Foie • Rognons • Fruits de mer • Sardines • Saumon • Hareng • Jaune d'œuf	

C

FONCTIONS:

- **RÉGULATION;**

- participe à l'assimilation du fer;
- maintient les parois des vaisseaux sanguins en bonne condition;
- contribue à la santé des dents et des gencives.

HYDROSOLUBLE NOM: ACIDE ASCORBIQUE	Apport quotidien 13–15 ans → 45 à 50 mg

PRINCIPALES SOURCES DE VITAMINE C

PRODUITS CÉRÉALIERS	LÉGUMES ET FRUITS	PRODUITS LAITIERS	VIANDES ET SUBSTITUTS	AUTRES
	• Agrumes et leurs jus • Jus de pomme vitaminé • Tomates natures ou en jus • Chou • Pommes de terre • Brocoli • Chou-fleur • Poivrons • Fraises • Cantaloup			

mg: milligrammes
ER: équivalent rétinol
µg: 1 µg de cholécalciférol équivaut à l'activité de 1 µg d'ergocalciférol (40 UI de vitamine D)

Les vitamines doivent être fournies par l'alimentation, car, sauf quelques exceptions, le corps humain n'en produit pas lui-même.

Elles sont nécessaires en toutes petites quantités et chacune remplit au moins une fonction dans l'organisme; on ne peut pas les remplacer les unes par les autres.

La classification des aliments en groupes alimentaires permet de déterminer une série de constituants pour chacun des groupes, comme tu peux le voir dans le tableau ci-dessous.

TABLEAU 16
NUTRIMENTS CLÉS DANS LE
GUIDE ALIMENTAIRE CANADIEN POUR MANGER SAINEMENT

Chaque groupe alimentaire est essentiel, car chacun fournit une combinaison différente de nutriments.

PRODUITS CÉRÉALIERS	+	LÉGUMES ET FRUITS	+	PRODUITS LAITIERS	+	VIANDES ET SUBSTITUTS	=	GUIDE ALIMENTAIRE
protéines		·		protéines		protéines		protéines
·		·		matières grasses		matières grasses		matières grasses
glucides		glucides		·		·		glucides
fibres		fibres		·		fibres		fibres
thiamine B$_1$		thiamine B$_1$		·		thiamine B$_1$		thiamine B$_1$
riboflavine B$_2$		·		riboflavine B$_2$		riboflavine B$_2$		riboflavine B$_2$
niacine B$_3$		·		·		niacine B$_3$		niacine B$_3$
folacine		folacine		·		folacine		folacine
·		·		vitamine B$_{12}$		vitamine B$_{12}$		vitamine B$_{12}$
·		vitamine C		·		·		vitamine C
·		vitamine A		vitamine A		·		vitamine A
·		·		vitamine D (lait)		·		vitamine D
·		·		calcium		·		calcium
fer		fer		·		fer		fer
zinc		·		zinc		zinc		zinc
magnésium		magnésium		magnésium		magnésium		magnésium

À TOI DE T'EXPRIMER!

1. Pourquoi choisis-tu un aliment plutôt qu'un autre pour satisfaire ta faim?

2. La belle pomme rouge, c'est un aliment; ce qu'elle contient, ce sont des éléments nutritifs.
Dis, en tes mots, ce que signifie l'expression «éléments nutritifs».

3. Définis en tes mots ce qu'est la nourriture.

4. À l'adolescence, tu dois manger des aliments riches en protéines. Pourquoi?

5. La viande contient beaucoup de protéines. Par contre, d'autres mets peuvent la remplacer.
Connais-tu des aliments de remplacement? Nommes-en deux.

6. Qu'apportent les glucides à ton organisme?

7. T'arrive-t-il souvent de consommer des aliments à kilojoules inutiles ou à calories vides?
Énumère trois de ces aliments.

8. Donne un synonyme du mot «lipide».

9. Peux-tu nommer cinq minéraux que l'on trouve dans les aliments que tu consommes?

10. Si tu manques de fer dans le sang, que se produira-t-il?

 # À TOI DE T'EXPRIMER!

 11. Dans la vie de tous les jours, tu consommes une grande quantité d'eau.
Où puises-tu cette eau qui est essentielle à la santé?

12. Qui suis-je?
La partie des matières végétales qui n'est pas digérée par les sécrétions du système digestif de l'être humain.

13. Tu as déjà entendu dire que tous les bons fruits et les succulents légumes que tu manges quotidiennement sont remplis de vitamines.
Peux-tu en nommer quelques-unes?

14. Lorsque tu te rends chez le ou la dentiste, celui-ci ou celle-ci peut te suggérer de choisir des aliments qui aideront à conserver tes dents saines.
Quel minéral répond à ce besoin?

 15. Les agrumes (orange, citron, mandarine, etc.) que tu dégustes avec goût sont très riches en vitamine ____.

A S TU COMPRIS?

1. Définis ce qu'est un constituant alimentaire.

2. Nomme les constituants alimentaires.

3. Énumère les trois grandes fonctions des constituants alimentaires dans l'organisme humain.

4. Quel est le rôle principal des protéines?

5. Vrai ou Faux?
   Les protéines peuvent être utilisées comme source d'énergie.

6. Indique, pour le groupe «Produits céréaliers», les principales sources de protéines.

7. Les glucides sont d'excellentes sources d'_ _ _ _ _ _ _.

8. Nomme les vitamines hydrosolubles.

9. Trouve cinq sources de glucides dans le groupe des légumes et des fruits.

10. Alberto joue au hockey. Il a besoin d'énergie mais il ne veut pas engraisser. Il préfère des aliments riches en glucides.
    Quels aliments lui conseilles-tu? Choisis-en un dans chacun des groupes alimentaires.

AS-TU COMPRIS?

11. Quelle est la principale source d'énergie de ton organisme?

12. Les lipides aident à utiliser certaines vitamines qui ne sont solubles que dans les gras. De quelles vitamines s'agit-il?

13. Énumère cinq sources de lipides provenant du groupe viandes et substituts.

14. Quelles peuvent-être les conséquences d'une alimentation trop riche en lipides?

15. Nomme cinq aliments qui contiennent une grande quantité de lipides.

16. Fais une liste des principaux minéraux et indique une source pour chacun d'eux.

17. Claudia veille à la santé de ses yeux et de sa peau ainsi qu'à la solidité de ses os.
Quelle vitamine satisfera les besoins de Claudia?

18. Qui suis-je?
Je suis présente dans toutes les cellules de l'organisme humain et je suis la composante principale du sang.

19. Cherche, à l'aide des tableaux présentés dans ton manuel, tous les constituants alimentaires présents dans les légumineuses.

20. Réalise un tableau où tu pourras répartir tous les constituants alimentaires que tu connais dans chacun des quatre groupes du *Guide*.

Évaluer des menus en respectant les portions quotidiennes recommandées pour chacun des groupes du *Guide alimentaire canadien pour manger sainement*

Pour faciliter la planification de repas équilibrés, le *Guide alimentaire canadien pour manger sainement* donne aux consommatrices et aux consommateurs des conseils pratiques et réalistes pour le choix des aliments. Ainsi, ils pourront acquérir de bonnes habitudes alimentaires en établissant leurs menus quotidiens.

Dans le *Guide alimentaire canadien pour manger sainement*, les quatre groupes d'aliments sont présentés sous la forme d'un arc-en-ciel, évoquant ainsi la couleur, la variété et le plaisir de manger.

Plus que jamais, un repas équilibré met en vedette du pain à grains entiers, des pâtes alimentaires, de même que des légumes et des fruits colorés. Même la pomme de terre trouve sa place dans ton assiette. Les produits laitiers méritent encore ton attention mais, de préférence, ils doivent être moins gras. Il en va de même pour les aliments du groupe des viandes et des substituts, où les légumineuses sont à l'honneur.

Le *Guide alimentaire canadien pour manger sainement* te renseigne sur les aliments essentiels à inclure aux menus quotidiens et sur le nombre de portions recommandées pour chacun des groupes. L'âge, la taille, le sexe et le niveau d'activité physique de la personne représentent les facteurs déterminants du nombre de portions requises.

Tu composeras les menus du déjeuner, du dîner, du souper ainsi que tes collations en respectant les recommandations alimentaires. Ainsi, tu combleras tes besoins nutritionnels tout en t'assurant un bien-être général.

En matière d'alimentation, la variété et l'équilibre constituent donc encore et toujours les clés de la santé.

Le guide alimentaire

CANADIEN

POUR MANGER SAINEMENT

À L'INTENTION DES QUATRE ANS ET PLUS

Des quantités différentes pour des personnes différentes

La quantité que vous devez choisir chaque jour dans les quatre groupes alimentaires et parmi les autres aliments varie selon l'âge, la taille, le sexe, le niveau d'activité; elle augmente durant la grossesse et l'allaitement. Le guide alimentaire propose un nombre plus ou moins grand de portions pour chaque groupe d'aliments. Ainsi, les enfants peuvent choisir les quantités les plus petites et les adolescents, les plus grandes. La plupart des gens peuvent choisir entre les deux.

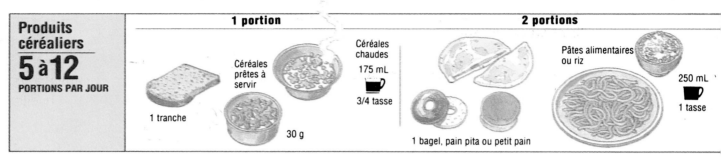

Produits céréaliers

5 à 12 PORTIONS PAR JOUR

1 portion — 1 tranche — Céréales prêtes à servir 30 g — Céréales chaudes 175 mL 3/4 tasse

2 portions — 1 bagel, pain pita ou petit pain — Pâtes alimentaires ou riz 250 mL 1 tasse

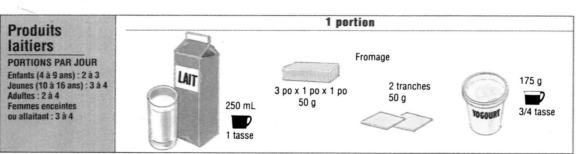

Légumes et fruits

5 à 10 PORTIONS PAR JOUR

1 portion — 1 légume ou fruit de grosseur moyenne — Légumes ou fruits frais, surgelés ou en conserve 125 mL 1/2 tasse — Salade 250 mL 1 tasse — Jus 125 mL 1/2 tasse

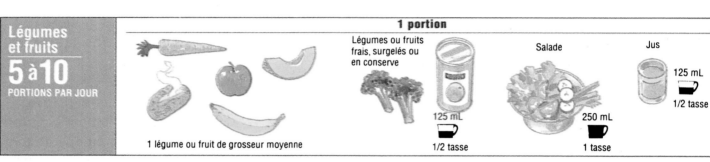

Produits laitiers

PORTIONS PAR JOUR

Enfants (4 à 9 ans) : 2 à 3
Jeunes (10 à 16 ans) : 3 à 4
Adultes : 2 à 4
Femmes enceintes ou allaitant : 3 à 4

1 portion — LAIT 250 mL 1 tasse — Fromage 3 po x 1 po x 1 po 50 g — 2 tranches 50 g — YOGOURT 175 g 3/4 tasse

Autres aliments

D'autres aliments et boissons qui ne font pas partie des quatre groupes peuvent aussi apporter saveur et plaisir. Certains de ces aliments ont une teneur plus élevée en gras ou en énergie. Consommez-les avec modération.

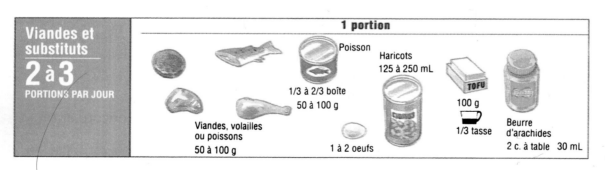

Viandes et substituts

2 à 3 PORTIONS PAR JOUR

1 portion — Viandes, volailles ou poissons 50 à 100 g — Poisson 1/3 à 2/3 boîte 50 à 100 g — 1 à 2 oeufs — Haricots 125 à 250 mL — TOFU 100 g 1/3 tasse — Beurre d'arachides 2 c. à table 30 mL

Mangez bon, mangez bien. Bougez. Soyez bien dans votre peau. C'est ça la VITALITÉ

© Ministre des Approvisionnements et Services Canada 1992   N° de cat. H39-252/1992F   Toute modification est interdite. Peut être reproduit sans autorisation.
ISBN 0-662-97564-2

EXEMPLES DE PORTIONS POUR CHACUN DES GROUPES D'ALIMENTS

Tu trouves dans le *Guide alimentaire canadien pour manger sainement* un tableau des portions qui t'aidera à décider quelle quantité tu dois manger dans chaque groupe alimentaire durant une journée.

Ce tableau indique aussi la grosseur d'une ou deux portions pour différents aliments. Le volume des portions consommées habituellement est comparable à celui recommandé par le *Guide*.

Plusieurs exemples de portions pour chacun des groupes d'aliments te sont présentés afin de faire des choix judicieux.

LES PRODUITS CÉRÉALIERS

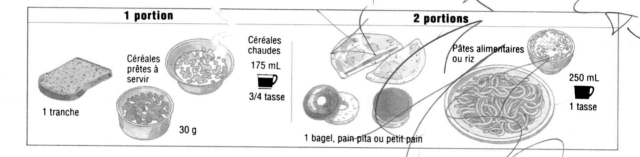

EXEMPLES D'UNE PORTION:

- 1 tranche de pain
- 30 g de céréales prêtes à servir
- 175 mL de céréales chaudes

EXEMPLES DE DEUX PORTIONS:

- 1 bagel, 1 pain pita, 1 petit pain
- 250 mL de pâtes alimentaires ou de riz
- 1 pain hamburger ou 1 pain hot-dog

On représente les portions de certains produits céréaliers par des portions doubles afin de tenir compte de la quantité consommée par la plupart des gens. On indique au poids (30 g) plutôt qu'au volume la portion de céréales prêtes à servir, afin d'utiliser le type de mesure qui figure sur les boîtes. De plus, pour certaines céréales, la mesure en volume en donnerait une trop grande quantité.

LÉGUMES ET FRUITS

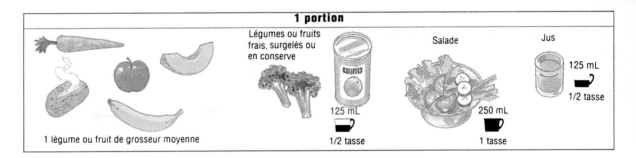

EXEMPLES D'UNE PORTION:

- 1 légume ou 1 fruit de grosseur moyenne
- 125 mL de légumes ou de fruits frais, surgelés ou en conserve
- 125 mL de jus frais, surgelé ou en conserve
- 2 clémentines
- 250 mL de salade
- 250 mL de croustade aux pommes

Les légumes ayant une plus grande valeur nutritionnelle que les fruits, l'importance est mise sur ceux-ci. C'est pourquoi les légumes sont représentés en plus grand nombre dans le *Guide*. Les adolescents et les adolescentes peuvent choisir les plus grandes quantités, soit dix portions par jour.

PRODUITS LAITIERS

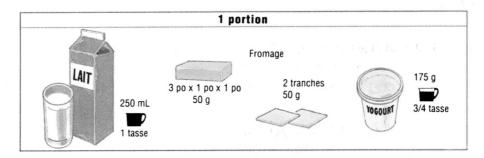

EXEMPLES D'UNE PORTION:

- 250 mL de lait frais ou en poudre reconstitué
- 175 g de yogourt
- 50 g de fromage
- 2 tranches de fromage
- 45 mL de poudre de lait
- 350 mL de lait glacé
- 250 mL de dessert au lait

La représentation visuelle du *Guide* accorde une priorité aux produits laitiers les plus pauvres en matières grasses.

VIANDES ET SUBSTITUTS

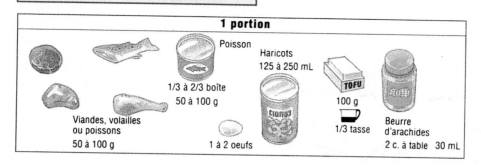

1 portion

Viandes, volailles ou poissons 50 à 100 g

Poisson 1/3 à 2/3 boîte 50 à 100 g

1 à 2 oeufs

Haricots 125 à 250 mL

TOFU 100 g 1/3 tasse

Beurre d'arachides 2 c. à table 30 mL

EXEMPLES D'UNE PORTION:

- 50 à 100 g de viande, volaille ou poisson cuits
- 50 à 100 g de poisson en conserve
- 1 à 2 œufs
- 30 mL de beurre d'arachides
- 100 g de tofu
- 125 à 250 mL de légumineuses cuites

La portion minimale implique une réduction appréciable du volume de viande consommé à un repas par un grand nombre de personnes, et cela afin de réduire la consommation de gras. De plus, les petites portions conviendront mieux aux petits appétits.

L'œuf est un aliment nutritif. Il faut cependant le consommer avec modération parce que le jaune contient une grande quantité de matières grasses et plus de cholestérol que la plupart des aliments de ce groupe.

Le fromage n'est pas considéré comme un substitut de la viande, car il est riche en gras et faible en fer. Par surcroît, il fait déjà partie du groupe des produits laitiers.

Les portions correspondent à la quantité que les personnes consomment normalement. Elles permettent de montrer qu'il suffit de faire des choix judicieux pour réduire les matières grasses plutôt que de s'abstenir de consommer certains aliments.

PORTIONS QUOTIDIENNES RECOMMANDÉES POUR CHACUN DES GROUPES D'ALIMENTS DU *GUIDE ALIMENTAIRE CANADIEN POUR MANGER SAINEMENT*

C'est le nombre et la grosseur des portions qui font toute la souplesse du *Guide*. Des quantités différentes pour des personnes différentes!

La quantité d'aliments que chacun et chacune doit choisir chaque jour dans les quatre groupes alimentaires et parmi les autres aliments varie de façon considérable.

Les besoins alimentaires et nutritifs varient d'une personne à l'autre selon son âge, sa taille, son sexe et son niveau d'activité. Ils augmentent durant la grossesse et l'allaitement.

La plupart d'entre nous avons des besoins supérieurs aux plus petites quantités suggérées par le *Guide*. Un apport qui se situe entre les volumes inférieur et supérieur de portions comblera les besoins en énergie et en constituants alimentaires.

Il n'y a pas de recommandations quant au nombre de portions pour la catégorie «Autres aliments», parce qu'elle englobe un vaste éventail de produits dont le mode de consommation varie d'une personne à l'autre.

Puisque les gens ont besoin de différentes quantités d'aliments, le *Guide alimentaire canadien pour manger sainement* propose:

PRODUITS CÉRÉALIERS	LÉGUMES ET FRUITS
5 à 12 PORTIONS PAR JOUR	**5 à 10** PORTIONS PAR JOUR

PRODUITS LAITIERS	VIANDES ET SUBTITUTS
2 à 4 PORTIONS PAR JOUR Enfants (4 à 9 ans): 2 à 3 portions Jeunes (10 à 16 ans): 3 à 4 portions Adultes: 2 à 4 portions Femmes enceintes ou allaitant: 3 à 4 portions	**2 à 3** PORTIONS PAR JOUR

Ces quantités peuvent te sembler considérables. Vérifie d'abord tes besoins réels. Il se peut que tu manges un plus grand nombre de portions que tu le penses.

Les produits céréaliers correspondent à la consommation actuelle des Canadiennes et des Canadiens, pour qui les pâtes et le riz occupent une place de choix au menu. Ce groupe comble les besoins énergétiques de chacun et de chacune sans augmenter l'apport en gras, tout en augmentant l'apport en fibres.

Toujours dans le contexte d'une approche basée sur la ration alimentaire totale, et suivant les recommandations de réduire la consommation de **gras saturés**, le nombre de portions des produits laitiers est limité.

L'écart relativement grand entre les portions recommandées permet d'adapter les quantités à la clientèle diversifiée du *Guide*, qui s'adresse aux gens de 4 à 77 ans... en montant. Voici deux exemples pour illustrer cette explication:

JANNIQUE

Jannique a six ans. Pour combler ses besoins nutritionnels et énergétiques, son père lui prépare les portions minimales que le *Guide* suggère pour chacun des quatre groupes. Elle mange aussi d'autres aliments. En grandissant ou en devenant plus active, Jannique augmentera le nombre de portions qu'elle consomme.

Source: Solo

STEVEN

Steven a 17 ans. C'est un joueur de football. Pour combler ses besoins nutritionnels et énergétiques, il opte pour les portions maximales que le *Guide* suggère pour chacun des quatre groupes. Il mange aussi d'autres aliments. Steven a des besoins en énergie plus élevés que la plupart des gens. À l'occasion, il peut même prendre un nombre plus grand de portions que celui recommandé par le *Guide*.

Source: Steven Thibeault

TABLEAU 17

ALIMENTS	PORTIONS	PORTIONS
	Jannique	Steven
Produits céréaliers	5	12
Légumes et fruits	5	10
Produits laitiers	2	4
Viandes et substituts	2	3

RECOMMANDATIONS ALIMENTAIRES POUR LA SANTÉ DES CANADIENNES ET DES CANADIENS

Le *Guide alimentaire canadien pour manger sainement*, lancé à l'automne 1992, est fondé sur les recommandations alimentaires publiées en 1990 par Santé et Bien-être social Canada. Ce document précise quelles devraient être les caractéristiques du régime des Canadiennes et des Canadiens. Les recommandations sont mises à jour régulièrement. Elles sont à la base de tous les programmes canadiens relatifs à la nutrition et à une saine alimentation.

Le mot d'ordre est lancé: moins de gras, moins de sel, et plus de fruits, de légumes et de produits céréaliers!

De ce travail de révision sont issues cinq grandes recommandations alimentaires pour la santé des Canadiennes et des Canadiens:

- **Agrémenter son alimentation par la variété.**
- **Dans l'ensemble de son alimentation, donner la plus grande part aux céréales, aux pains et aux autres produits céréaliers, ainsi qu'aux légumes et aux fruits.**
- **Opter pour des produits laitiers moins gras, des viandes plus maigres et des aliments préparés avec peu ou pas de matières grasses.**
- **Chercher à atteindre et à maintenir un poids-santé en étant régulièrement actif ou active et en mangeant sainement.**
- **Lorsque l'on consomme du sel, de l'alcool ou de la caféine, y aller avec modération.**

AGRÉMENTER TON ALIMENTATION PAR LA VARIÉTÉ.

Le *Guide alimentaire canadien pour manger sainement* énonce clairement cette recommandation: «Savourez chaque jour une variété d'aliments choisis dans chacun des quatre groupes.»

Consommer différents types d'aliments, apprêtés de diverses façons, voilà ce qu'on entend par variété.

Ton alimentation doit apporter les éléments nutritifs essentiels recommandés et nécessaires au maintien de ta santé. La variété favorise la consommation d'aliments et de mets propres à des groupes ethniques et culturels différents. Il te suffit de varier le panier à provisions, de choisir des aliments parmi tous les groupes alimentaires et d'élaborer des menus quotidiens équilibrés.

DANS L'ENSEMBLE DE TON ALIMENTATION, DONNE LA PLUS GRANDE PART AUX CÉRÉALES, AUX PAINS ET AUTRES PRODUITS CÉRÉALIERS AINSI QU'AUX LÉGUMES ET AUX FRUITS.

Pour t'aider à mettre en pratique cette recommandation, le *Guide alimentaire canadien pour manger sainement* a accordé une place de choix aux produits céréaliers et aux légumes et aux fruits. Il recommande également de consommer un plus grand nombre de portions d'aliments de ces deux groupes.

Il t'incite à choisir le plus souvent possible des légumineuses dans l'éventail des viandes et substituts.

Ton régime alimentaire devrait te fournir 55 pour cent de la quantité totale d'énergie sous forme de glucides provenant de diverses sources.

Voici quelques suggestions pour incorporer des glucides dans tes menus quotidiens:

* choisis un pain de blé entier et des céréales de son;
* garnis ton hamburger de laitue, de tomates ou d'autres légumes;
* ajoute des légumes, du riz, des pâtes ou des légumineuses aux soupes;
* compose ta collation de fruits, de légumes, de noix ou de maïs soufflé sans trop de beurre ni de sel ajouté.

OPTE POUR DES PRODUITS LAITIERS MOINS GRAS, DES VIANDES PLUS MAIGRES ET DES ALIMENTS PRÉPARÉS AVEC PEU OU PAS DE MATIÈRES GRASSES.

Le régime alimentaire des Canadiennes et des Canadiens ne devrait pas fournir plus de 30 pour cent de la quantité totale d'énergie sous forme de lipides et pas plus de 10 pour cent sous forme de graisses saturées.

Une consommation moindre en gras diminue les risques des maladies cardiovasculaires et de certains cancers.

Il existe une vaste gamme de produits laitiers plus maigres qu'il serait bon de choisir:

* lait écrémé, 1 pour cent ou 2 pour cent de M.G.
* lait glacé entre 3 et 5 pour cent de M.G.
* fromage maigre moins de 15 pour cent de M.G.
* yogourt glacé moins de 3 pour cent de M.G.
* crème glacée légère 10 pour cent de M.G.
* yogourt 2 pour cent ou moins de M.G.

Quand tu prépares des aliments, opte pour des modes de cuisson sans gras: au four, à la vapeur ou au four à micro-ondes. Évite les grandes fritures et les **panures** riches en graisses. Enlève la peau de la volaille et tout gras visible de la viande.

Tu peux manger moins de gras en prenant davantage de produits céréaliers, de légumes, de fruits, et de légumineuses.

CHERCHE À ATTEINDRE ET À MAINTENIR UN POIDS-SANTÉ EN ÉTANT RÉGULIÈREMENT ACTIF OU ACTIVE ET EN MANGEANT SAINEMENT.

Aujourd'hui, on ne parle plus d'un poids idéal en particulier, mais bien d'une échelle de poids réaliste qui inclut une grande variété de silhouettes. Un beau corps en bonne santé peut prendre diverses constitutions.

Le maintien du poids-santé dépend du régime alimentaire, mais aussi de l'activité physique.

Bien manger, c'est envisager l'alimentation de façon plus positive; il faut parler d'alimentation saine plutôt que de régime.

Être actif ou active, c'est s'adonner à des activités qui s'intègrent aisément dans tes habitudes de vie quotidienne à la maison, au travail, en famille et entre amis ou amies, ou pendant tes loisirs.

LORSQUE TU CONSOMMES DU SEL, DE L'ALCOOL OU DE LA CAFÉINE, VAS-Y AVEC MODÉRATION.

Plusieurs aliments contiennent naturellement du sel; inutile, donc, de mettre la salière sur la table ou d'ajouter du sel dans la casserole.

De façon générale, les Canadiennes et les Canadiens consomment plus de **sodium** qu'il n'est nécessaire.

Pour la plupart des adultes, boire de l'alcool avec modération, c'est ne pas prendre plus d'une consommation alcoolique par jour. On conseille aux femmes enceintes et qui allaitent de s'abstenir complètement de consommer de l'alcool.

Choisis des boissons non alcoolisées, comme de l'eau gazéifiée, de l'eau minérale aromatisée ou des jus.

Utilise avec modération la caféine. On retrouve cette dernière dans les boissons telles que le café, le thé, les colas et dans les aliments à base de cacao. Il y en a aussi dans certains médicaments contre le rhume ou le mal de tête.

2.4.4

MENUS QUOTIDIENS ÉQUILIBRÉS

S'alimenter sainement, c'est aussi prendre plaisir à manger, c'est savourer ses repas en toutes circonstances, que ce soit au travail, en congé ou lors d'une occasion spéciale.

À la maison, garde ton *Guide alimentaire canadien pour manger sainement* à portée de la main. Il rappelle quels aliments choisir pour composer des menus quotidiens.

POUR MANGER SAINEMENT

Préparer des repas et des collations nourrissantes, moins riches en gras, avec plus de fibres et de glucides répond aux recommandations du *Guide*. Utilise ce dernier pour faire ta liste d'épicerie.

Composer des menus quotidiens équilibrés, c'est beaucoup plus que de savoir mettre des plats cuisinés sur la table; c'est aussi procéder avec des critères bien déterminés:

- **les facteurs faisant varier les besoins nutritionnels;**
- **la présence des quatre groupes du *Guide alimentaire canadien pour manger sainement*;**
- **les recommandations alimentaires pour la santé des Canadiennes et des Canadiens;**
- **le respect minimal des portions recommandées.**

Avant de composer des menus, jette un coup d'œil sur l'importance de chacun des repas et sur la répartition logique et idéale du pourcentage de tes besoins nutritionnels quotidiens.

MENU TYPE DE DÉJEUNER ÉQUILIBRÉ
30 pour cent de tes besoins alimentaires quotidiens

- céréales à grains entiers ou pain grillé avec beurre ou margarine;
- agrume ou jus riche en vitamine C;
- produit laitier;
- œuf, beurre d'arachides ou autre aliment protéique.

MENU TYPE DE DÎNER ÉQUILIBRÉ
30 pour cent de tes besoins alimentaires quotidiens

- produits céréaliers;
- pomme de terre ou autre légume jaune ou vert;
- fruit ou dessert à base de fruits;
- produit laitier;
- viande maigre, volaille, poisson ou autre aliment protéique.

MENU TYPE DE SOUPER ÉQUILIBRÉ
30 pour cent de tes besoins alimentaires quotidiens

- produits céréaliers;
- légumes crus ou cuits;
- fruit ou dessert à base de fruits;
- produit laitier;
- œuf, légumineuse ou autre aliment protéique.

CARACTÉRISTIQUES D'UNE COLLATION SANTÉ
10 pour cent de tes besoins alimentaires quotidiens

Elle doit être:
- légère;
- nutritive;
- à faible teneur en sucre.

Tu dois prendre trois bons repas par jour pour répondre aux besoins de ton organisme. Ajoute des collations si tu n'as pas respecté le nombre de portions recommandé par le *Guide alimentaire canadien pour manger sainement*.

Pars du bon pied... Si tu déjeunes, tu apprends mieux, tu te concentres plus facilement et plus longtemps et tu es en mesure de donner un meilleur rendement tout au long de la matinée!

Exemple d'un déjeuner équilibré: «Bon pied, bon œil»

ALIMENTS	GROUPES D'ALIMENTS
2 tranches de pain de blé entier grillées;	Produits céréaliers;
125 mL de jus d'orange;	légumes et fruits;
1 banane;	légumes et fruits;
250 mL de lait 2 pour cent;	produits laitiers;
30 mL de beurre d'arachides.	viandes et substituts.

Exemple d'un dîner équilibré: «Coup de fouet»

ALIMENTS	GROUPES D'ALIMENTS
1 sandwich aux œufs (pain de son) avec mayonnaise;	Produits céréaliers – viandes et substituts et autres aliments;
laitue et tranches de tomate;	légumes et fruits;
1 pomme;	légumes et fruits;
250 mL de lait 2 pour cent;	produits laitiers;
2 biscuits au gruau.	produits céréaliers.

Exemple d'un souper équilibré: «Délices»

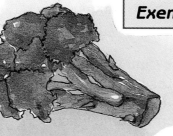

ALIMENTS	GROUPES D'ALIMENTS
1 tranche de pain de seigle avec 10 mL de margarine;	Produit céréaliers – autres aliments;
125 mL de brocoli et 125 mL de carottes cuits à la vapeur;	légumes et fruits;
250 mL de croustade aux pommes;	légumes et fruits et produits céréaliers;
250 mL de lait 2 pour cent;	produits laitiers;
100 g de poulet rôti sans la peau.	viande et substituts.

COLLATIONS

Que de pirouettes pour arriver à satisfaire tout son monde en conciliant, bien sûr, les besoins nutritifs, les goûts, les contraintes et les caprices de chacun et de chacune!

Des collations nutritives... Et pourquoi pas?

La collation est un complément alimentaire important dans une journée santé. Elle te permet de te reprendre sur les «oublis» du repas précédent. Voici quelques suggestions pour rendre ce moment de détente agréable:

- céréales soufflées non sucrées avec raisins secs;
- compote de fruits et biscuit à la farine d'avoine;
- verre de lait et biscuit au son;
- yogourt nature avec petits fruits sauvages (fraises, myrtilles);
- fromage en grains et quartiers de pomme;
- graines de tournesol.

BOÎTE À LUNCH

Planification rime avec saine nutrition!

Planifier ses menus, c'est aussi vivre l'opération «boîte à lunch» en douceur, au quotidien.

On se contente souvent d'apporter le traditionnel sandwich au jambon cuit et le petit gâteau de confection industrielle. Les lunches doivent comprendre des aliments des quatre groupes alimentaires. Les combinaisons possibles sont multiples. Exemple de menu pour le lunch:

ALIMENTS	GROUPES D'ALIMENTS
1 sous-marin au poulet avec céleri haché et mayonnaise;	Produits céréaliers – viandes et substituts – légumes et fruits – autres aliments;
1 biscuit au son et aux épices;	produits céréaliers;
125 mL de jus de tomate;	légumes et fruits;
bâtonnets de carottes;	légumes et fruits;
175 g de yogourt aux framboises.	produits laitiers.

Voici des exemples de **menus équilibrés** qui satisferont les besoins nutritionnels quotidiens d'un adolescent ou d'une adolescente.

TABLEAU 18

	PRODUITS CÉRÉALIERS	LÉGUMES ET FRUITS	PRODUITS LAITIERS	VIANDES ET SUBSTITUTS	AUTRES
Déjeuner					
175 mL de flocons d'avoine	1				
125 mL de lait 2 %			1		
1/2 pamplemousse rose		1			
2 tranches de pain de blé entier rôties	2				
10 mL de beurre ou de margarine					√
1 œuf à la coque				1	
Collation du matin					
1 orange		1			
Dîner					
croissant au thon:					
1 croissant de blé entier	2				
50 g de thon				1	
10 g de mayonnaise					√
laitue et tomate		1			
250 mL de lait 2 %			1		
1 quartier de cantaloup		1			
Collation de l'après-midi					
175 g de yogourt aux pêches (2 % M.G)			1		
Souper					
125 mL de jus de légumes		1			
100 g de truite grillée				1	
250 mL de riz aux fines herbes	2				
125 mL de brocoli et de carottes cuits à la vapeur		1			
1 muffin au son et aux raisins	1				
250 mL de lait 2 %			1		
1 verre d'eau					√
Collation du soir					
2 carrés aux dattes	1	1			
Total	9	7	4	3	
Portions recommandées	5–12	5–10	3–4	2–3	

CRITIQUE DE CERTAINS MENUS SELON DIFFÉRENTS CRITÈRES

Lorsque tu commences à expérimenter les rudiments de la planification des menus, il est bon que tu aies envie de connaître tes habitudes alimentaires.

En consultant les encadrés représentés ci-dessous, tu arriveras à critiquer des menus pour chacun des repas de la journée sans oublier les collations.

De quels groupes alimentaires proviennent les aliments que j'ai consommés? Quels groupes alimentaires sont absents?

S'agit-il d'un repas ou d'une collation qui contient peu ou beaucoup de matières grasses? À quoi cela est-il attribuable? Comment dois-je planifier mes collations et mes repas ultérieurs, étant donné la teneur en matières grasses de ce repas ou de cette collation?

Combien ai-je consommé de portions de chaque groupe alimentaire?
- de 5 à 12 portions de produits céréaliers?
- de 5 à 10 portions de légumes et de fruits?
- trois à quatre portions de produits laitiers?
- deux à trois portions de viande et de ses substituts?

La plupart des produits céréaliers que j'ai choisis étaient-ils de grains entiers ou enrichis?

Ai-je pris des légumes vert foncé ou orange et des fruits orange?

Ai-je choisi beaucoup d'aliments salés? Ai-je salé mes aliments avant même d'y goûter?

Combien d'aliments ou de boissons gazeuses contenant de la caféine ai-je consommés aujourd'hui?

Ai-je pris plaisir à manger aujourd'hui?

Ai-je été actif ou active aujourd'hui?

Enfin, à quoi devraient ressembler mes repas et mes collations au cours des prochains jours si je veux équilibrer mon alimentation en tenant compte de ce que j'ai mangé dernièrement?

Source: Santé et Bien-être social Canada, Renseignements sur le Guide alimentaire à l'intention des éducateurs et des communicateurs, *Feuillet 7.*

Après avoir porté un jugement sur la quantité d'aliments consommés dans chacun des groupes alimentaires, tu répondras aux recommandations pour la santé des Canadiennes et des Canadiens (objectif 2.4.3). Ensuite, tu t'assureras que les menus ont été composés en te préoccupant des facteurs faisant varier les besoins nutritionnels à l'adolescence. Revois l'objectif 2.1.3.

Nous te présentons un exemple de menu non équilibré, par conséquent, qui a été composé sans tenir compte des critères à respecter pour la composition de menus quotidiens (objectif 2.4.4).

Menu du dîner

Poitrine de poulet grillée au four;
sauce barbecue;
pomme de terre au four;
tarte au sucre.

Critique:
- Le groupe «Produits laitiers» est absent de ce menu;
- les matières grasses sont présentes en trop grande quantité (poulet, sauce, tarte);
- la peau de la poitrine de poulet devrait être enlevée;
- la tarte au sucre n'est pas considérée comme un produit céréalier;
- il y a absence de légumes verts ou orange;
- aucun fruit n'est au menu.

Menu corrigé

Salade verte;
poitrine de poulet aux fines herbes (sans peau);
macédoine de légumes;
petit pain de blé entier;
yogourt glacé aux fruits sauvages.

Les modifications proposées ou les aliments à remplacer doivent contribuer à répondre à l'équilibre de chacun des repas de la journée et à rendre les collations les plus nutritives possible.

Grâce à des repas équilibrés et sains, tu abordes la vie en fraîcheur.

Mange avec plaisir.

Sois actif ou active et bien dans ta peau.

C'est ça la *VITALITÉ*

À TOI DE T'EXPRIMER!

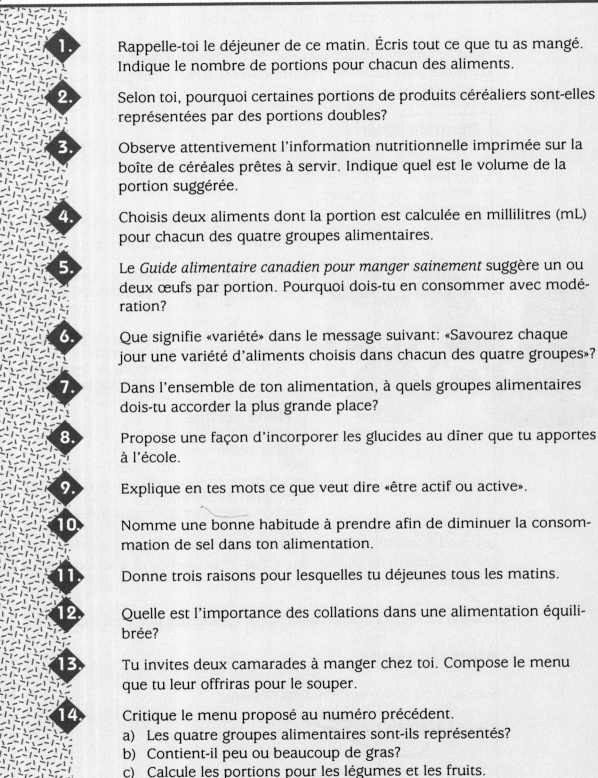

1. Rappelle-toi le déjeuner de ce matin. Écris tout ce que tu as mangé. Indique le nombre de portions pour chacun des aliments.

2. Selon toi, pourquoi certaines portions de produits céréaliers sont-elles représentées par des portions doubles?

3. Observe attentivement l'information nutritionnelle imprimée sur la boîte de céréales prêtes à servir. Indique quel est le volume de la portion suggérée.

4. Choisis deux aliments dont la portion est calculée en millilitres (mL) pour chacun des quatre groupes alimentaires.

5. Le *Guide alimentaire canadien pour manger sainement* suggère un ou deux œufs par portion. Pourquoi dois-tu en consommer avec modération?

6. Que signifie «variété» dans le message suivant: «Savourez chaque jour une variété d'aliments choisis dans chacun des quatre groupes»?

7. Dans l'ensemble de ton alimentation, à quels groupes alimentaires dois-tu accorder la plus grande place?

8. Propose une façon d'incorporer les glucides au dîner que tu apportes à l'école.

9. Explique en tes mots ce que veut dire «être actif ou active».

10. Nomme une bonne habitude à prendre afin de diminuer la consommation de sel dans ton alimentation.

11. Donne trois raisons pour lesquelles tu déjeunes tous les matins.

12. Quelle est l'importance des collations dans une alimentation équilibrée?

13. Tu invites deux camarades à manger chez toi. Compose le menu que tu leur offriras pour le souper.

14. Critique le menu proposé au numéro précédent.
a) Les quatre groupes alimentaires sont-ils représentés?
b) Contient-il peu ou beaucoup de gras?
c) Calcule les portions pour les légumes et les fruits.
d) As-tu choisi des aliments trop salés?
e) Y a-t-il des aliments contenant de la caféine?

A S-TU COMPRIS?

1. À l'aide du *Guide alimentaire canadien pour manger sainement*, indique la quantité recommandée pour une portion de chacun des aliments suivants.

a) Produits céréaliers:
pain – flocons de maïs – riz – pain pita – gruau

b) Légumes et fruits:
jus de tomate – brocoli – carottes – fraises – salade de fruits – clémentines

c) Produits laitiers:
lait – fromage en tranches – cheddar – yogourt – blanc-manger à la vanille

d) Viandes et substituts:
œufs – jambon en tranches – boeuf haché grillé – beurre d'arachides – légumineuses

2. Indique le nombre de portions recommandé pour chacun des quatre groupes du *Guide alimentaire canadien pour manger sainement*.

3. Énumère les cinq grandes recommandations alimentaires pour la santé des Canadiens et des Canadiennes.

4. Nomme les quatre critères à considérer dans la composition de menus quotidiens équilibrés.

5. Inscris la répartition logique et idéale de tes besoins nutritionnels quotidiens pour chacun des repas en plus des collations.

6. Présente un menu type de dîner équilibré.

7. Compose le menu d'Ariane pour le souper. Cette adolescente s'adonne chaque jour à de grandes randonnées à bicyclette. Indique et totalise le nombre de portions.

8. Compose le menu de Pietro pour un déjeuner à la maison. Pietro est sédentaire. Il passe plusieurs heures par jour à son ordinateur. Indique et totalise le nombre de portions.

9. Suggère deux collations santé que toi et tes amis et amies pourriez prendre à ces endroits:

a) au cinéma;
b) au casse-croûte du centre commercial;
c) à l'école.

10. Quelles sont les caractéristiques d'une collation santé?

11. Par quel aliment santé peux-tu remplacer ces kilojoules inutiles?

Croustilles – frites – boissons gazeuses

12. Ta nouvelle voisine vient d'acheter un casse-croûte tout près de l'école. Comme elle désire conserver sa clientèle adolescente, elle te demande des suggestions pour des dîners équilibrés qui auront la faveur des jeunes.

Suggère-lui deux menus pour le dîner.

13. *Menu du souper*
Soupe à l'oignon
Filet de morue au four
Pommes de terre bouillies
Légumes verts en salade
Croustade aux pommes

Découvre le groupe alimentaire manquant.

Unité-concept	Satisfaction des besoins Consommation

Adopter une stratégie rationnelle pour l'achat des aliments

Comme une grande partie du budget familial est consacrée à l'achat d'aliments, savoir faire des économies dans ce domaine est un atout précieux.

Cependant, il arrive parfois que ce qui semblait être un bon achat ne le soit pas du tout. Par exemple, acheter des aliments que toute la famille refusera de manger constitue une perte de temps et d'argent.

Il n'est pas prudent non plus d'acheter des aliments dont la date d'expiration est passée.

De même, il est préférable d'éviter les fruits et les légumes qui n'ont pas l'air frais ou qui dégagent une odeur désagréable. Les boîtes de conserve doivent être intactes. En ce qui concerne les aliments surgelés, on doit éviter de choisir des paquets ramollis, endommagés ou tachés.

Quand on surveille les prix, on s'aperçoit qu'en général les produits portant la marque du marché d'alimentation ou les «produits sans nom» sont moins chers mais tout aussi nutritifs que les produits de grandes marques.

Les coupons-rabais et les offres de remise sont de bons moyens d'économiser. Mais attention! Il faut avant tout comparer les prix.

Lors de tes achats, tu dois considérer certains critères et certains facteurs afin de réaliser des économies tout en respectant l'environnement.

2.5.1

ÉTAPES PRÉALABLES À L'ACHAT DES ALIMENTS

Un régime alimentaire équilibré et varié peut rester abordable, si on planifie davantage les achats et si on développe des stratégies pour en avoir pour son argent et sa santé.

L'alimentation répond à un besoin vital et elle accapare une part importante du budget. Selon des spécialistes en économie familiale, généralement 25 pour cent du revenu net devrait tout au plus être alloué à l'achat des aliments, sauf si le revenu est faible.

La consommatrice et le consommateur avisés apprennent à épargner sans sacrifier pour autant la valeur nutritive ou la qualité des aliments.

Une méthode simple et efficace de maximiser le dollar alimentaire consiste à appliquer les étapes préalables à l'achat des aliments:

- **l'inventaire des ressources;**
- **la planification des menus;**
- **la liste d'achats.**

INVENTAIRE DES RESSOURCES

Faire l'inventaire, c'est prendre en note les aliments que tu possèdes déjà. Fais le tour du frigo, du garde-manger et du congélateur. Écris ce qui manque. Fais ensuite la liste des produits essentiels et des produits qui compléteront les aliments qui restent et qui serviront aux prochains menus.

Consulte les dépliants publicitaires, compare les prix d'un supermarché à l'autre. Choisis celui qui offre les promotions qui te conviennent le mieux. Cette démarche élimine les achats inutiles et réduit la facture. De plus, elle évite des déplacements à l'épicerie au cours de la semaine.

PLANIFICATION DES MENUS

Tu as défini, au module «Économie et vie familiale», la notion de stratégie d'achat. Tu te souviens d'avoir déterminé des objectifs et des moyens de les réaliser. Eh bien, en alimentation, planifier, c'est élaborer les menus de la semaine en vérifiant ce qu'on a déjà sous la main pour gagner en variété, en équilibre et en valeur nutritive.

Une bonne planification élimine les pertes de temps et diminue le gaspillage.

Construis les menus en fonction des quatre groupes du *Guide alimentaire canadien pour manger sainement*, des recommandations pour la santé, des circulaires, des rabais offerts, des aliments qui restent et des produits en solde sur le marché. Il est préférable de prévoir l'utilisation des restes, car ils permettent de composer des plats savoureux tout en réalisant des économies. En cuisine, tout est bon, rien ne se perd!

La planification des menus et des achats reste sans aucun doute la meilleure stratégie en matière de budget alimentaire.

LISTE D'ACHATS

Avant de te rendre à l'épicerie, prépare-toi!

Fais une liste d'achats détaillée des articles à acheter.

Tente de ne rien oublier; cela t'évitera les achats au dépanneur, qui sont souvent fort coûteux.

Compare la liste de ton inventaire à celle des menus suggérés où tu as sûrement inscrit les quantités d'aliments à utiliser.

Divise ta liste en fonction des différents comptoirs et allées du supermarché.

Vérifie le prix habituel des produits de base. Il sera ainsi plus facile de juger de la véritable valeur des soldes.

Fais provision de produits non périssables (pâtes, riz, conserves de légumes et de légumineuses). Évite le piège des promotions alléchantes et des achats spontanés. Ne fais pas le marché le ventre vide.

La liste d'achats est un outil précieux dans la mesure où l'on prévoit suffisamment de souplesse afin de pouvoir changer la composition de ses menus, une fois que l'on a comparé le prix des articles.

2.5.2

CRITÈRES À CONSIDÉRER LORS DE L'ACHAT DES ALIMENTS

Si tu n'as pas l'habitude d'acheter les provisions, tu peux t'imaginer que tout ce qu'il y a à faire est de prendre le chariot et de le remplir de ce que tu aimes manger, puis de passer à la caisse. C'est évidemment facile, c'est même le moyen par excellence de bouleverser ton budget alimentaire.

Tu sais, il y a mille et un trucs pour profiter au maximum de chaque dollar alimentaire.

Un budget d'une aussi grande importance pour le porte-monnaie mérite après tout d'être géré avec sagesse. Afin de déterminer la part de ton budget à attribuer à l'achat d'aliments, il faut d'abord en faire un! Se fixer un budget alimentaire et le suivre, c'est payant!

Avant tout, on doit se préoccuper de certains critères qui entrent en considération lors de l'achat des aliments:

- **le coût;**
- **les étiquettes et les renseignements qui s'y trouvent;**
- **les emballages adéquats et respectueux de l'environnement;**
- **la fraîcheur, la maturité et l'apparence;**
- **les habitudes alimentaires de différentes cultures;**
- **les méthodes de préparation possibles;**
- **la présence ou non d'agents de conservation ou d'additifs;**
- **les produits du Québec et les produits régionaux;**
- **les symboles;**
- **la valeur nutritive.**

Le coût est évidemment le premier critère qui entre en ligne de compte lors de la visite à l'épicerie.

Il est important de savoir qu'au Québec, une loi oblige les commerçants et les commerçantes à afficher, sur les emballages, le prix de tout produit de plus de 40 cents.

Vérifie et tiens-toi au courant du prix habituel des produits de base. Les prix varient selon les saisons et les régions. Acheter des fruits et des légumes saisonniers aux marchés publics est toujours plus économique. Suis les cycles de la nature.

Source: Renée Deshaies

La lecture des réclames publicitaires informe sur les prix des articles «en promotion», «en solde» ou «à rabais». Il s'agit d'un excellent moyen de les comparer avec leur prix habituel pour juger à quel point il s'agit d'une bonne affaire.

L'utilisation de coupons-rabais n'assure pas nécessairement de meilleurs prix. Économiser 20 cents ou 50 cents sur un produit peut être intéressant, à condition qu'un produit de marque similaire ne soit pas offert à un prix inférieur ou à rabais et, bien entendu, si tu prévois en avoir besoin à court terme.

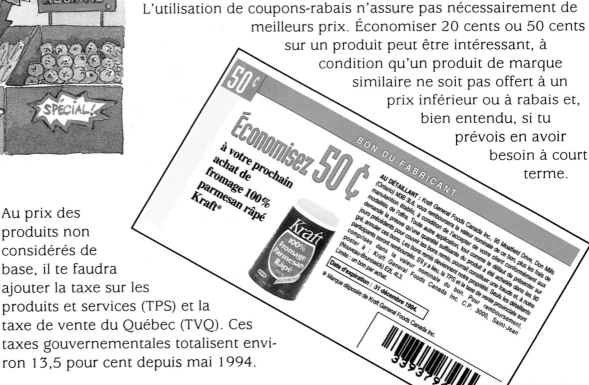

Au prix des produits non considérés de base, il te faudra ajouter la taxe sur les produits et services (TPS) et la taxe de vente du Québec (TVQ). Ces taxes gouvernementales totalisent environ 13,5 pour cent depuis mai 1994.

Rappelle-toi que lorsque tu choisis des aliments à la fois nutritifs et bon marché, tu manges mieux et à moindre coût.

ÉTIQUETTES ET RENSEIGNEMENTS

Avant d'acheter un produit alimentaire, prends l'habitude de rechercher sur l'emballage les renseignements qui doivent y figurer selon la Loi sur les aliments et drogues et la Loi sur l'emballage et l'étiquetage des produits de consommation.

Tu disposes de trois sources distinctes de renseignements:

- **la liste des ingrédients;**
- **le tableau d'information nutritionnelle;**
- **les allégations nutritionnelles.**

Il faut d'abord faire la différence entre:

a) les produits alimentaires préemballés par le marchand et vendus en magasin (comme la viande, le fromage, la charcuterie);

b) les produits alimentaires fabriqués et emballés en usine ou importés (comme les céréales, le jus de fruits, les légumes en conserve).

La consommatrice et le consommateur désireux d'améliorer leurs habitudes alimentaires ont tout intérêt à se familiariser avec l'étiquetage des aliments. La liste des ingrédients t'aide à mieux choisir une catégorie d'aliments plutôt qu'une autre.

Les renseignements qui doivent figurer sur l'étiquette d'un produit sont:

- le nom usuel du produit (en français et en anglais);
- le nom et l'adresse du fabricant;
- la quantité nette (masse, volume, nombre);
- les ingrédients en ordre décroissant de proportions (en français et en anglais);
- la catégorie du produit: «Canada de fantaisie», «Canada de choix», «Canada régulier»;
- la date «meilleur avant» (si le produit est périssable dans les 90 jours);
- le mode de conservation (si le produit nécessite des conditions de conservation différentes du milieu habituel);
- l'estampille «Canada» (lorsque le produit a été inspecté par Agriculture Canada);
- la mention «Produit décongelé» (indication pour la viande seulement);
- la date d'emballage et une durée de conservation (pour les produits préemballés et vendus en magasin);
- le symbole du code universel des produits.

Selon les fabricants, d'autres **renseignements** s'ajoutent sur l'étiquette: le croquis ou la représentation du produit, le mode d'emploi, le prix, des conseils pour la conservation.

Sous la rubrique **Information nutritionnelle**, tu trouves les constituants alimentaires concernant le produit. Étant donné qu'ils sont toujours énumérés dans le même ordre, il est facile de repérer les renseignements voulus en jetant un rapide coup d'œil sur l'étiquette. L'étiquetage nutritionnel est facultatif.

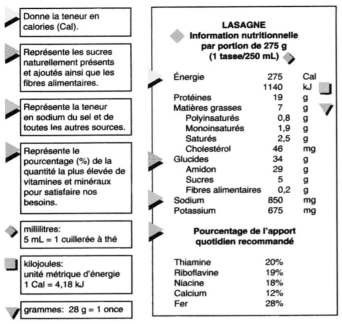

| Donne la teneur en calories (Cal). |
| Représente les sucres naturellement présents et ajoutés ainsi que les fibres alimentaires. |
| Représente la teneur en sodium du sel et de toutes les autres sources. |
| Représente le pourcentage (%) de la quantité la plus élevée de vitamines et minéraux pour satisfaire nos besoins. |
| millilitres: 5 mL = 1 cuillerée à thé |
| kilojoules: unité métrique d'énergie 1 Cal = 4,18 kJ |
| grammes: 28 g = 1 once |

LASAGNE
Information nutritionnelle
par portion de 275 g
(1 tasse/250 mL)

Énergie	275	Cal
	1140	kJ
Protéines	19	g
Matières grasses	7	g
Polyinsaturés	0,8	g
Monoinsaturés	1,9	g
Saturés	2,5	g
Cholestérol	46	mg
Glucides	34	g
Amidon	29	g
Sucres	5	g
Fibres alimentaires	0,2	g
Sodium	850	mg
Potassium	675	mg

Pourcentage de l'apport quotidien recommandé

Thiamine	20%
Riboflavine	19%
Niacine	18%
Calcium	12%
Fer	28%

Source: Reproduit avec la permission de Santé Canada 1990, ministère des Approvisionnements et Services Canada 1994.

Les **allégations nutritionnelles** servent à souligner une caractéristique nutritionnelle particulière d'un aliment. En général, ces allégations figurent sur le devant de l'emballage, en gros caractères gras, par exemple: «Sans cholestérol», «50 pour cent moins de sel», «Léger», «Tout naturel».

C'est la liste des ingrédients qui te permet aussi de dépister la présence d'une essence, d'un additif ou d'un produit auquel tu peux être hypersensible (allergique).

Attention! Un aliment dont la date «Meilleur avant» est dépassée ne signifie pas que tu dois le jeter. Cette date te donne une idée de la fraîcheur du produit; il se peut qu'il soit toujours comestible. À toi de décider!

Il faut donc prendre le temps de lire les étiquettes et de comparer les différents produits. À un prix équivalent, un autre produit pourrait bien représenter un meilleur choix.

EMBALLAGES ADÉQUATS ET RESPECTUEUX DE L'ENVIRONNEMENT

Les produits sont emballés pour en favoriser la conservation et la vente. Les frais d'emballage sont compris dans le prix de vente du produit. L'emballage assure dans bien des cas la garantie d'acheter un produit en bon état. Les emballages fantaisistes dont les industries alimentaires se servent ne font que hausser les prix de revient des aliments.

Les emballages les plus coûteux sont les contenants qui, d'une part, préservent la fraîcheur du produit pendant longtemps et, d'autre part, préviennent les dégâts.

Source: Céline Defoy

Sans cholestérol Cholesterol free

Light·Légère

Pour les produits congelés, on utilise des contenants spéciaux. L'emballage sous vide conserve les viandes froides, les charcuteries et certains fromages.

Voici quelques petits trucs pour réaliser de grandes économies d'emballage tout en respectant l'environnement:

- Les fruits et les légumes n'ont absolument pas besoin d'être disposés sur un carton et enveloppés de cellophane. Ne te gêne donc pas pour demander un produit équivalent sans emballage.
- Opte pour les boissons présentées dans des contenants consignés; faute de pouvoir le faire, recycle-les.
- Achète de préférence des contenants recyclés et recyclables.
- Les bouteilles et les pots en verre pourront être recyclés en contenants pour les restes ou pour divers petits objets.

Quand un emballage se retrouve à la poubelle, c'est un gaspillage d'énergie et de matières premières, car on doit toujours les remplacer.

Les emballages n'ajoutent aucune valeur nutritive au produit.

FRAÎCHEUR, MATURITÉ, APPARENCE

Source: Renée Deshaies

Fraîcheur égale qualité pour la grande majorité des consommateurs et des consommatrices.

L'apparence des légumes et des fruits à l'état frais est fonction de leur couleur, de leur texture et de leur maturité.

Choisis chaque produit avec soin : sans tache ni meurtrissure, d'un beau vert pour les légumes feuillus, lourds pour leur grosseur dans le cas des courges, des aubergines et des agrumes. C'est quand ils sont frais que les fruits et les légumes sont au maximum de leur valeur nutritive.

Une viande inspectée est un gage de qualité bactériologique.

Dans des conditions normales, les boîtes de conserve bosselées ou rouillées n'ont pas d'influence sur le contenu de la boîte si celle-ci ne fuit pas. Tu ne dois jamais utiliser une boîte bosselée sur les joints, une boîte qui fuit ou dont les côtés sont gonflés. Si cela se produit, rapporte-la sans l'avoir ouverte au magasin où tu l'as achetée, ou si une fois ouverte, tu doutes de son contenu, jette-la à la poubelle.

En ce qui concerne les aliments en conserve, l'inscription des mots «Canada de fantaisie», «Canada de choix» ou «Canada Standard» correspond à la qualité du produit.

L'information «Meilleur avant» figure sur tous les produits périssables, sauf sur les fruits et les légumes frais.

HABITUDES ALIMENTAIRES SELON LES DIFFÉRENTES CULTURES

Les habitudes alimentaires des familles et des diverses communautés culturelles sont parfois bien différentes des tiennes. Il faut cependant noter qu'au cours des années, les habitudes de chacune et de chacun subissent l'influence de la cuisine québécoise et qu'elles se modifient.

Les achats étant presque similaires de semaine en semaine, et la disponibilité des fruits et des légumes étant fonction des saisons, il se peut qu'aucun inventaire préliminaire ne soit effectué par la famille.

Exemples:

- Les Italiens achètent des tomates au début de l'automne et préparent la sauce tomate en quantité suffisante pour l'année entière.

- Les Italiens et les Grecs achètent des caisses de raisins en fin d'été pour faire du vin.

- Au début de l'automne, les Polonais mettent en saumure des concombres, des tomates, des betteraves, des choux et des navets. Les poissons salés sont stockés dans les cuisines et les caves.

- À Haïti, on sèche et on sale la viande et le poisson pour pouvoir les conserver toute l'année durant puisque la réfrigération et la congélation ne sont pas toujours possibles.

- En Bulgarie, les plats sont préparés en fonction des saisons: le porc est une viande hivernale, et l'agneau se mange au printemps.

- Dans les familles hongroises, la consommation des légumes est faite en saison seulement, car les prix sont exagérés hors saison.

MÉTHODES DE PRÉPARATION

Les aliments que tu as achetés demandent une certaine préparation. L'étiquette de chaque produit te renseigne sur l'emploi de celui-ci, les ingrédients à y ajouter, son mode de cuisson, la façon de le servir, et peut même fournir des suggestions d'accompagnement.

Parmi les produits vendus, tu remarques des aliments préparés, comme les mélanges à gâteaux, les frites et les pâtes à pain congelées, les soupes déshydratées, et autres. L'achat d'un aliment tout prêt est-il une bonne affaire? Tout dépend de ta situation. Qu'est-ce qui est le plus important pour toi? Le temps? Le travail? L'argent? La qualité ou le goût? Tu es la seule personne à pouvoir répondre.

Si tu prépares les aliments à la maison, il faut t'assurer que tu conserves leur valeur nutritive, leur saveur et leur apparence.

Depuis quelques années, ce sont les mets frais cuisinés sous vide qui tentent de pénétrer le marché. Il faut les réchauffer au four traditionnel, au micro-ondes ou dans l'eau bouillante.

Et les repas congelés? Plutôt intéressante, cette solution minute que choisissent de très nombreuses personnes. Mais pour en tirer le meilleur parti possible, il faut choisir des plats ayant une faible teneur en gras, et profiter des rabais.

PRÉSENCE OU NON D'AGENTS DE CONSERVATION OU D'ADDITIFS

Il existe près de 2 000 additifs alimentaires directs. Ce sont des substances ajoutées aux aliments pour en améliorer la qualité en empêchant la multiplication des substances nocives, pour améliorer la production ou l'apparence générale du produit et sa durée de conservation. Ces additifs ne doivent toutefois pas cacher les défauts du produit alimentaire.

Les additifs alimentaires sont ajoutés pour:
- préserver la valeur nutritive des aliments;
- améliorer leur durée de conservation;
- rendre les aliments attrayants;
- faciliter la production d'un produit en vue d'un certain résultat.

Les additifs utilisés doivent être indiqués sur l'étiquette du produit à la suite des autres ingrédients, mais pas nécessairement dans un ordre décroissant. Tu peux ainsi détecter leur présence dans l'aliment.

Les viandes salées et fumées, les saucissons secs, les viandes à tartiner et certains fromages contiennent des additifs alimentaires. Note que lors de l'achat de charcuteries au comptoir ou en vrac, la liste des ingrédients ne figure habituellement pas sur l'emballage.

La modération est de mise au comptoir de la charcuterie, car on y trouve plus l'occasion de dépenser que d'investir dans une saine alimentation.

La catégorie d'additifs alimentaires la plus remise en question est celle des colorants. Leur utilisation ne vise en effet que l'apparence du produit et ils ne sont pas considérés comme essentiels.

Voici quelques aliments qui contiennent des colorants alimentaires: les biscuits, les cerises au marasquin, les cristaux de saveur, les gélatines aromatisées et les marinades.

On trouve le terme «PUR» sur des emballages de jus de fruits, de confitures, de gelées et de marmelades, de miel et de sirop d'érable ainsi que sur les étiquettes de certaines huiles. Les consommateurs et les consommatrices s'attendent alors à des produits non contaminés, non modifiés et ne contenant aucune substance ni ingrédient qui ne devrait pas s'y trouver.

PRODUITS DU QUÉBEC ET PRODUITS RÉGIONAUX

L'appellation «produit régional» signifie que le produit est reconnu comme provenant d'une région donnée, traditionnellement ou à la suite de l'évolution des habitudes alimentaires et des marchés. Les consommatrices et les consommateurs recherchent de plus en plus des aliments sains et nutritifs, frais et à saveur locale. Grâce aux nouveaux produits régionaux, de nouvelles habitudes alimentaires se développent dans la population québécoise.

Il est toujours possible, et même préférable, d'inciter la consommatrice et le consommateur à concevoir des menus à partir des produits de leur région tout en respectant les principes d'une saine alimentation.

Comme l'école est un milieu privilégié pour les échanges et les découvertes, quoi de mieux que de promouvoir de nouveaux produits régionaux lors de la semaine où l'on souligne l'importance d'une bonne alimentation!

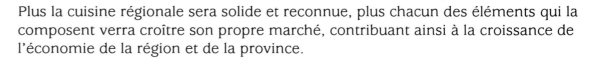

Source: Renée Deshaies

Il faut des produits régionaux pour créer une cuisine et la rendre internationale.

Plus la cuisine régionale sera solide et reconnue, plus chacun des éléments qui la composent verra croître son propre marché, contribuant ainsi à la croissance de l'économie de la région et de la province.

La cuisine régionale est une cuisine représentative des produits bioalimentaires d'une région, de ses modes de consommation, de sa culture, et reflète l'art d'apprêter des mets avec originalité et créativité.

SYMBOLES OU LOGOS

La plupart des achats que l'on fait enclenchent un processus de réflexion: l'évaluation de ses besoins, la qualité du service après-vente, l'étendue de la garantie, le rapport qualité/prix. Même avec la nourriture, tu dois en avoir pour ton argent.

Une fois au supermarché, il te suffit d'un minimum de renseignements pour faire des achats profitables et nutritifs.

Remarque sur les étagères ou dans les comptoirs les produits qui ont une étiquette portant un logo bien particulier.

Un logo bleu, bien stylisé, **«Qualité Québec»** se trouve sur l'emballage de certains produits alimentaires: œufs, volailles, pommes, tomates, agneaux de lait, poulets de grain, produits laitiers. Ce logo signifie que ces aliments proviennent du Québec. Tous les bons produits québécois n'arborent pas ce logo.

Le logo **«Québec vrai»** ne paraît jamais seul sur un produit; il sera toujours accompagné d'une mention précisant le type d'aliment, comme **«Québec vrai, Bleuets frais du Lac-Saint-Jean»** ou **«Québec vrai, Poulet de grain»**.

Le sceau **«Québec vrai»** ne signifie pas que le produit est de meilleur qualité ou plus sain qu'un autre. Il s'agit simplement d'indiquer au consommateur et à la consommatrice que l'aliment est produit au Québec et qu'il est conforme à des caractéristiques spécifiques, dûment respectées par l'entreprise productrice.

Le sceau **«Produit biologique certifié, Québec vrai»** est le seul logo fiable reconnu par le ministère de l'Agriculture, des Pêcheries et de l'Alimentation (MAPAQ) en ce qui concerne le contrôle de l'intégrité des produits biologiques. Ce logo bénéficie de l'exclusivité de la couleur verte et de la forme ronde.

Tous les aliments irradiés vendus au Canada doivent être identifiés comme tels. Dans le cas des produits préemballés, l'étiquette doit porter le symbole international d'**aliment irradié** (une fleur stylisée placée dans un cercle brisé de couleur verte). Une mention telle que «traité par radiation», «traité par irradiation» ou «irradié» doit aussi y figurer.

VALEUR NUTRITIVE

Le *Guide alimentaire canadien pour manger sainement* souligne l'importance de choisir une variété d'aliments riches en valeur nutritive: les céréales, les légumes, les fruits, le lait et les viandes.

La consommatrice et le consommateur peuvent recourir aux étiquettes pour comparer les produits et orienter leur choix sur la valeur nutritive de ces derniers.

La valeur nutritive des aliments varie, d'une part à cause des différences qui existent entre eux à l'état naturel, et, d'autre part, à cause des procédés de transformation et d'enrichissement, et des méthodes de préparation.

Qu'on l'appelle bouffe-éclair, restauration rapide ou *«fast food»*, ce type d'alimentation est riche en kilojoules et répond très peu aux exigences d'une saine alimentation.

La restauration rapide est presque un rite obligé pour les adolescentes et les adolescents. Or, la plupart des aliments qu'on y sert ne contiennent pas assez d'éléments nutritifs pour constituer la base d'une alimentation quotidienne équilibrée.

Si tu penses à la valeur nutritive et au prix des aliments qu'on y sert, il est bien clair que, pour le même prix, tu pourrais peut-être, à la maison, obtenir deux ou trois portions du même mets.

MOYENS POUR RÉALISER DES ÉCONOMIES DANS L'ACHAT DES ALIMENTS

Il est souvent trop facile de négliger une économie de quelques cents sur un produit alimentaire. Toutefois, si tu n'y prends garde, ces sous s'accumuleront... pour grever ton budget. Si tu es une consommatrice ou un consommateur avisé, apprends à repérer les achats les plus avantageux par les moyens suivants:

- **effectue tes achats au moment propice;**
- **achète des produits de marques privées ou «sans nom», à valeur nutritive égale;**
- **tiens compte de la classification et de l'usage que tu prévois faire des aliments;**
- **analyse les soldes et les primes offertes;**
- **calcule le prix des produits à l'unité et au paquet;**
- **opte pour des aliments moins coûteux pour une même valeur nutritive et pour les aliments en vrac;**
- **respecte ta liste d'achats;**
- **lis les étiquettes;**
- **vérifie les dates limites de conservation;**
- **calcule les taxes.**

Où acheter? Quand acheter?

Supermarché, boutique spécialisée, dépanneur, magasin-entrepôt, coopérative, comptoir alimentaire ou grande surface ?

Que choisir? Où aller?

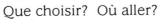

Suivons Pénélope et Mahmoud, qui cherchent des moyens d'économiser dans l'achat des aliments.

Quelques petits achats au dépanneur du coin... et les voilà avec une facture plus haute que leur sac de provisions.

Découragés, ils se dirigent vers une boutique spécialisée: très grande variété d'aliments, service personnalisé et rapide. Les prix sont élevés, on n'y offre aucun rabais, trop de produits sont invitants et on se retrouve avec moins d'argent dans le porte-monnaie. Mais tous leurs achats ne sont pas terminés...

Source: Renée Deshaies

Une semaine passe... Cette fois, ce sera la place... Nos deux jeunes se rendent à une épicerie grande surface, genre «Club Price». Assurés, ils se placent derrière un énorme panier qu'ils ne veulent remplir mais... ils découvrent des produits offerts en gros formats. Peu ou pas de service... Les allées sont longues à parcourir, le temps passe... La file à la caisse est sur un feu rouge. De plus, aucun service à l'auto. Non!

Un supermarché maintenant. Ici, c'est la course aux aubaines. La qualité est présente, mais la variété des produits est moindre. Donc: moins d'incitatifs à la dépense. Meilleur service, emballeur à la caisse, service à l'auto... Voilà ce que cherchaient Pénélope et Mahmoud. Ils reviendront et feront encore des économies.

Source: Renée Deshaies

Chaque semaine, ils se rendent à leur supermarché, heureux d'avoir réussi à joindre les deux bouts dans leur planification alimentaire. Sans compter qu'ils peuvent demander de précieux conseils au personnel compétent.

Un commis leur apprend par exemple que les légumes et les fruits sont moins chers en saison, que l'agneau abonde de septembre à décembre. **C'est un achat au moment propice.**

Aujourd'hui, Pénélope rencontre la gérante, qui répond à sa question portant sur un moyen de réaliser encore plus d'économies dans l'achat des aliments:

«Les marques privées ou «sans nom» sont-elles plus économiques?

– Oui, lui répond madame Lavoie, en ajoutant qu'il faut toujours comparer ces produits avec les rabais offerts par le magasin et choisir ceux dont la valeur nutritive est au moins égale.»

«Le fait d'acheter selon la classification des produits constitue-t-il un bon moyen d'économiser quelques cents?»

Une représentante est sur place cette semaine et elle apprend à Pénélope qu'elle pourrait économiser en choisissant des œufs de catégorie *B* pour les gâteaux, les quiches et même les omelettes, car ils ont la même valeur nutritive que ceux de la catégorie *A*.

Elle lui suggère aussi d'opter pour les coupes de viande moins tendres pour préparer les ragoûts et les plats **mijotés.** Elle lui suggère enfin de servir du bœuf haché régulier, qui est plus gras, mais qui, une fois cuit, (gras égoutté), contient les mêmes éléments nutritifs que le bœuf haché maigre.

Pénélope fait maintenant son marché avec plaisir. Cette semaine, c'est Mahmoud qui se présente avec des coupons-rabais qu'il désire échanger.

«Est-ce avantageux d'utiliser des coupons-rabais? demande-t-il.

– Oui, lui répond-on, à condition qu'ils ne soient pas des incitations à la consommation de produits dont on n'a pas vraiment besoin. Il faut aussi comparer, car un produit équivalent peut être offert à un prix inférieur ou à rabais.

– **Acheter les plus gros contenants, est-ce toujours plus économique? demande encore Mahmoud.**

– Oui et non! Une personne seule devrait éviter les gros formats, car elle risque de jeter une bonne partie du contenu.»

Oui, les plus gros formats sont souvent plus économiques. Mahmoud devra par contre s'assurer qu'un autre format offert à rabais n'est pas plus avantageux. Cet achat doit également répondre à un besoin réel.

Au comptoir des viandes, Mahmoud s'informe:

«Les coupes les moins chères ont-elles la même valeur nutritive que les autres?

– Oui, lui dit-on. Le prix par livre de viande désossée n'a aucun rapport avec la valeur nutritive. On lui suggère les coupes les moins chères. De plus, on lui fournit des recettes simples pour expérimenter quelques préparations culinaires.»

Pénélope préparera bientôt ses conserves pour une réserve annuelle de bons pots remplis des saveurs et des parfums de l'été. Elle profitera des marchés publics extérieurs où on trouve des produits québécois en abondance.

Bien sûr, acheter en saison, c'est une économie assurée. Et encore plus si on a le temps et l'énergie de planifier une cueillette en famille sur une ferme. Le grand air et le plaisir sont tout à fait gratuits et non taxables!

«Et les aliments en vrac?» demande Pénélope.

Tout se vend en vrac: de la farine aux biscuits, du riz aux poudres de toutes sortes, des croustilles aux plus petits bonbons. Parce qu'elle permet d'acheter une petite quantité à la fois, la formule du vrac a rapidement gagné la faveur des consommateurs et des consommatrices; une pratique populaire avec les récessions et les familles qui rapetissent.

Toutefois, si les produits en vrac ont la vertu d'être économiques, ils ont aussi le vice d'être fort mal identifiés.

Pour conserver de bonnes mesures d'hygiène, Pénélope et Mahmoud prennent leurs responsabilités.

Source: Renée Deshaies

Après tout, nos deux clients savent qu'il en va de leur santé. Pour leurs achats, ils choisiront un comptoir de produits en vrac bien tenu et propre, avec service et surveillance adéquats.

Ces jeunes mettent en pratique quelques notions vues précédemment. Ils s'en tiennent à la **liste d'achats**. Une **lecture des étiquettes** leur permettra de comparer la qualité, le prix, la composition et la valeur nutritive du produit. Pénélope et Mahmoud vérifient les **dates d'expiration** sur les aliments périssables.

Une fois à la caisse enregistreuse, ils se souviennent des fameuses **taxes**. Oui, il faut les additionner aux prix des produits non considérés de base.

À l'aide de tous les moyens qui leur ont été proposés, Pénélope et Mahmoud équilibreront leur budget d'alimentation tout en réalisant de bonnes économies. Ils éviteront une surconsommation effrénée.

2.5.4

SOLUTIONS RESPECTANT L'ENVIRONNEMENT LORS DE L'ACHAT DES ALIMENTS

Pénélope et Mahmoud sont toujours à l'affût de tout ce qui est bon et bien en matière d'alimentation.

Ils continuent à s'informer dès qu'ils s'interrogent sur un détail.

Ensemble, notre adolescente et notre adolescent cherchent des solutions qui respectent l'environnement lors de l'achat des aliments.

PROTÉGEZ-VOUS En lisant la revue *Protégez-vous* du mois dernier, ils en découvrent quelques-unes:

- **l'achat d'aliments cultivés biologiquement;**
- **l'achat d'aliments dont la mise en marché, la conservation et la préparation demandent le moins d'énergie possible;**
- **l'achat de produits régionaux permettant l'économie de transport.**

Aujourd'hui, au supermarché, on fait la promotion de produits biologiques certifiés tels que les tomates, les concombres, les courges et les carottes.

Pénélope s'empresse de demander: **«Mais qu'ont de si particulier tous ces produits biologiques?»**

Il s'agit de produits qui ont la vertu d'être moins dommageables pour la santé et pour l'environnement car ils contiennent beaucoup moins de pesticides. Mais ils n'en sont pas nécessairement exempts.

On ne peut affirmer que ces produits sont plus nutritifs que les produits traditionnels. Sont-ils plus savoureux? Le goût est un facteur d'appréciation bien subjectif. À toi d'y goûter!

Les fruits et les légumes demeurent en tête de liste des produits biologiques. On trouve aujourd'hui de la viande, des produits céréaliers, des œufs, du lait et des produits de transformation certifiés biologiques.

Pénélope et Mahmoud rechercheront dorénavant le logo garantissant l'authenticité du traitement biologique de l'aliment.

- «Qui mange *bio*?»

De plus en plus de consommatrices et de consommateurs sont soucieux de leur santé. Ils n'hésitent pas à payer plus cher des fruits et des légumes cultivés le plus naturellement possible.

S'agit-il d'une simple mode ou serait-ce une solution qui marquera les années à venir? Il est indéniable que l'agriculture biologique est plus saine et moins polluante que l'agriculture traditionnelle.

Mahmoud se rend à l'épicerie. C'est l'été, il fait très chaud; il n'a pas le goût de cuisiner.

Que manger? Il se promène dans les allées et cherche des idées:

- des poivrons verts d'Espagne;
- des bananes du Costa Rica;
- des ananas des Philippines;
- des oranges d'Israël;
- des kiwis de France;
- des raisins du Chili.

Ces produits viennent de différents pays dans le monde. On les compte en grandes quantités et dans des emballages plus attrayants les uns que les autres.

Source: Renée Deshaies

Les fruits et les légumes n'arrivent pas par magie sur les étagères des supermarchés québécois. Ils ont subi **plusieurs manipulations et chacune d'entre elles a occasionné des dépenses d'énergie énormes.**

À quel prix ces produits viennent-ils satisfaire tes goûts? Comment conservent-ils leur apparence pendant le long voyage? Et les beaux emballages, où les retrouvons-nous?

Mahmoud se rend compte qu'il y a des pertes quelque part et qu'il serait urgent que chacun et chacune d'entre nous s'interroge sur:

- l'augmentation des déchets;
- l'emballage qui n'apporte aucune valeur nutritive;
- **la transformation et le transport imposant une perte d'énergie toujours grandissante.**

Que faire pour améliorer tes habitudes alimentaires et respecter l'environnement?

Préfère des aliments cultivés biologiquement, sans engrais chimiques.

Consomme des aliments frais pour leur valeur nutritive et dont la mise en **marché demande moins d'énergie** (pas de mise en conserve, de congélation ou de surgélation).

Choisis des **produits québécois.** Tu les reconnais par les logos «Qualité Québec» et «Québec vrai». **Les produits régionaux sont moins énergivores** en ce qui concerne le transport, la réfrigération et l'entreposage. La variété apporte une plus grande valeur nutritive.

Au restaurant, prends le repas au comptoir à salade pour éviter le plus possible les aliments frits.

Les techniques de marketing de l'industrie alimentaire influencent beaucoup plus tes choix que tes besoins en matière de nourriture.

C'est à toi, à ta famille, à ton entourage, à tout le monde de se prendre en main afin de respecter l'environnement pour une meilleure qualité de vie. C'est un «pensez-y bien»!

2.5.5

FACTEURS INFLUENÇANT LE COÛT DES ALIMENTS

Les fins de mois sont parfois difficiles et le porte-monnaie est plus léger que jamais alors que nous avons encore tant de choses à acheter. Peut-être est-il temps de se mettre à l'affût des bonnes occasions qui permettent d'économiser toute l'année sans avoir à attendre les rabais. Il est possible de marier son budget à ses attentes... pour le meilleur et pour le prix!

Jette d'abord un coup d'œil sur les facteurs qui influencent le coût des aliments:

- **l'emballage;**
- **le libre-échange;**
- **l'offre et la demande;**
- **la provenance;**
- **la publicité;**
- **la qualité;**
- **les saisons;**
- **les taxes;**
- **la transformation;**
- **le transport;**
- **le genre d'établissement.**

EMBALLAGES

Quand tu vas dans un supermarché et que tu observes les étagères qui plient sous le poids de la marchandise aux emballages très colorés, demande-toi où et comment ces produits ont vu le jour.

Ne te gêne pas pour te pencher, pour regarder au fond des tablettes, pour acheter des aliments et non une marque de commerce au bel emballage.

Les marchandes et les marchands étalent souvent les produits les plus coûteux sur une étagère à la portée du regard. De cette façon, ils se vendront plus rapidement que ceux dont l'emplacement est moins évident.

Tu peux relire les quelques paragraphes concernant les emballages adéquats et respectueux de l'environnement, à l'objectif 2.5.2.

LIBRE-ÉCHANGE

Le Mexique est un partenaire dans l'accord de libre-échange avec le Canada et les États-Unis. L'ALÉNA (accord de libre-échange nord-américain) ouvre de nouveaux horizons économiques. L'instauration de lois gouvernementales permet le libre-échange, ce qui entraîne une certaine liberté dans les activités commerciales d'un pays à l'autre. Le coût des aliments provenant des pays en cause devrait être sensiblement à la baisse. Pensons aux oranges, aux pamplemousses, aux citrons, aux asperges, aux poivrons et au céleri, par exemple. Les produits se multiplient, la concurrence est donc plus forte.

OFFRE ET DEMANDE

L'offre d'un produit représente la quantité du produit disponible sur le marché. La quantité que le consommateur ou la consommatrice désire acheter constitue la demande. Lorsque l'offre répond à la demande, les prix restent stables, mais lorsque l'offre est supérieure ou inférieure à la demande, les prix ont tendance à changer.

Les prix des aliments n'augmentent pas tous au même rythme, ni tous en même temps.

À court terme, les prix font l'objet d'importantes fluctuations en raison des facteurs incontrôlables qui influencent la production: les maladies, les dégâts, les insectes, les caprices du climat comme le gel, la sécheresse ou les pluies torrentielles.

PROVENANCE

Les aliments produits et vendus dans ta région te font faire des économies. Leurs coûts sont habituellement plus bas que ceux des aliments provenant de l'extérieur ou des pays étrangers.

Quoi qu'il en soit, le prix des produits du Québec peut être plus élevé que celui des produits importés. La mauvaise température, la production limitée, les techniques ultra-modernes, les salaires et la main-d'œuvre concourent à la hausse des prix. En achetant québécois, on se procure des aliments de grande qualité tout en appuyant l'industrie agro-alimentaire québécoise. Recherche les appellations «Qualité Québec» et «Québec vrai».

Source: Renée Deshaies

PUBLICITÉ

Lorsqu'un nouveau produit est offert, on accompagne son lancement d'une foule de trucs publicitaires.

À cette fin, tous les médias sont de la partie: télévision, radio, journaux, magazines, coupons-rabais et même des dégustations gratuites au supermarché. Qui paie la note? La consommatrice et le consommateur. Toutes les dépenses engagées au moment du lancement d'un produit sont comprises dans son prix de vente.

Tu peux ajouter à ta liste d'épicerie les articles à rabais. Tu les achètes à meilleur prix et tu en gardes en réserve.

Revois, à l'objectif 1.5.3 du module 1, les sources de renseignements en vue d'un achat. La publicité y est représentée sous toutes ses formes.

QUALITÉ

Une autre économie à faire... en se familiarisant avec les normes de classification applicables à un grand nombre de produits alimentaires. Plus un produit répond aux critères de haute qualité établis, plus son prix est élevé.

Tous les aliments doivent être transformés de quelque façon avant d'être consommés. Certaines manutentions améliorent la qualité du produit.

Apprends à choisir les aliments qui correspondent à tes vrais besoins.

SAISONS

Les produits frais et leur disponibilité saisonnière sont des facteurs importants dans le coût des aliments.

Les consommateurs et les consommatrices à l'affût de bonnes occasions d'économiser devraient, à tout moment, se tenir au courant des prix à la baisse des légumes et des fruits en saison ou lors de récoltes très abondantes. Les poissons de saison sont à bon prix. Consommes-en!

C'est le bon temps de faire des réserves, un peu à l'exemple de la fourmi de la fable, en prévision des mois où tout est plus cher.

Les produits «hors saison» sont si chers que ton budget risque de fondre comme neige au soleil si tu décides de t'en procurer.

Source: Diane Lalancette

TAXES

Les taxes (la TPS et la TVQ) s'additionnent à la facture lors de l'achat de certains produits. Seuls les produits alimentaires considérés comme des produits de base sont non taxés.

TRANSFORMATION

Au Canada, l'industrie de la transformation des aliments et des boissons se classe au premier rang du secteur manufacturier.

Dans le secteur de la transformation, les coûts plus élevés des facteurs de production comme les ingrédients alimentaires, les matériaux d'emballage, la main-d'œuvre et l'énergie ont le plus contribué à faire grimper les prix.

On trouve des milliers d'articles différents dans nos épiceries. Les aliments transformés, sans perte appréciable de qualité et de valeur nutritive, permettent une grande liberté de choix pour le consommateur et la consommatrice, et réduisent leur dépendance envers les produits frais importés durant l'hiver.

TRANSPORT

Le transport et l'entreposage sont deux éléments essentiels du circuit alimentaire. Dans bien des cas, il faut des wagons et des camions réfrigérés pour que les produits frais parviennent à nos tables rapidement et en bonne condition. En outre, les fruits et les légumes frais ne se conservent que dans des installations à atmosphère contrôlée coûteuses. Le prix de vente de ces produits est évidemment plus élevé en raison de différentes manipulations.

GENRE D'ÉTABLISSEMENT

Il est parfois plus avantageux de comparer les marques dans un même magasin plutôt que de se laisser tenter par les divers spéciaux offerts par plusieurs établissements. La proximité est généralement le premier facteur qui influence dans le choix d'un supermarché ou d'un autre genre d'épicerie.

La variété des produits offerts, la propreté et la qualité du service, les heures d'ouverture, l'espace pour circuler sont d'autres éléments à considérer dans le choix d'un établissement alimentaire, qu'il s'agisse du supermarché, du dépanneur, du magasin-entrepôt, de la coopérative ou du comptoir alimentaire.

À TOI DE T'EXPRIMER!

1. Qu'est-ce qu'une stratégie rationnelle pour l'achat des aliments?

2. D'après toi, quel est le pourcentage du budget familial consacré à l'achat des aliments?

3. Même si tu as fait une liste d'achats détaillée, peut-il arriver que tu choisisses d'autres produits non mentionnés sur la liste, et pourquoi?

4. «Ne fais pas l'épicerie le ventre vide». Explique en tes mots cette maxime fort populaire.

5. Quel est le premier critère qui entre en ligne de compte lors d'une visite à l'épicerie?

6. Ta famille a déjà reçu par le courrier des coupons-rabais pour différents produits alimentaires. Est-il avantageux de les utiliser?

7. En parlant des fameuses taxes, que signifient les sigles TPS et TVQ?

8. Tu apportes de chez toi une étiquette de n'importe quel produit alimentaire. Observe la liste des ingrédients. Écris-en cinq. Indique le produit choisi.

9. Tu connais des trucs pour respecter l'environnement en rapport avec les emballages. Nommes-en trois.

10. Cherche dans le garde-manger des aliments contenant des colorants alimentaires. Prépare une fiche sur laquelle tu nommes le produit ainsi que le ou les colorants qu'il renferme. Tu la compareras avec celles des élèves de ta classe.

11. Que dois-tu faire lorsque tu as en main une boîte de conserve bosselée?

12. Renseigne-toi sur l'agriculture biologique. Inscris sur ta feuille trois aliments certifiés biologiques.

13. Un nouveau produit est offert; on accompagne son lancement d'une foule de trucs publicitaires. Nommes-en trois que tu connais bien.

14. Explique à une ou à un élève de ta classe pourquoi le transport et l'entreposage haussent le prix de certains aliments.

15. Tu as le choix entre plusieurs établissements alimentaires. Lequel choisis-tu et pourquoi?

A S TU COMPRIS?

1. Quelles sont les trois étapes préalables à l'achat des aliments?

2. Explique sommairement comment faire l'inventaire des ressources alimentaires en prévision d'une liste pour l'épicerie.

3. Nomme quatre avantages qu'il y a à planifier les menus d'une semaine.

4. Fais une énumération de six critères à considérer lors de l'achat des aliments.

5. Sur les emballages de produits alimentaires, tu disposes de trois sources distinctes de renseignements. Énumère-les.

6. À quoi servent les additifs alimentaires?

7. Compose un court texte (cinq ou six lignes) pour expliquer aux membres de ta famille ce qu'est un produit régional et, par conséquent, une cuisine régionale.

8. Identifie les deux logos représentés.

a) QUÉBEC Vrai   b)

9. Énumère six moyens efficaces d'économiser dans l'achat des aliments.

10. Tout comme Pénélope et Mahmoud, trouve cinq solutions qui permettent de respecter l'environnement lors de l'achat des aliments.

11. Nomme six facteurs qui influencent le coût des aliments.

12. En quoi consiste le facteur «de l'offre et de la demande»?

13. Nomme le facteur qui explique l'exemple suivant.
Au Québec, les fraises achetées en juin ou en juillet coûtent moins cher que celles achetées en hiver.

14. Vrai ou faux?
Achète des produits placés dans les étalages tape-à-l'œil.

15. Les aliments préparés se vendent en grande quantité. Tu en connais certainement. Proposes-en cinq.

Préparer des mets simples et nutritifs

Cuisiner, c'est un passe-temps, un art, une science!

L'organisation est primordiale lorsque tu prépares un repas.

Pour bien travailler, tu dois utiliser correctement les ustensiles appropriés. Il faut aussi que tu apprennes à interpréter les termes les plus courants du langage culinaire et à mesurer avec précision divers ingrédients.

Lors de la préparation des recettes, tu t'exécutes avec rapidité, assurance et efficacité. Pour y arriver, tu respectes les mesures d'hygiène et de propreté. Tu te familiarises avec les modes de cuisson les plus connus, sans oublier l'utilisation adéquate du four à micro-ondes.

Vas-y! Relève tes manches, attache tes cheveux, mets ton tablier, sors les ingrédients et les ustensiles. Cuisine-toi de bons petits plats comme tu les aimes.

2.6.1

USTENSILES DE CUISINE

Les besoins, en ustensiles de cuisine, varient selon les familles et les habitudes acquises. Ils dépendent du type de préparation des aliments, de la quantité à faire et du nombre de personnes composant le groupe familial.

Chaque cuisinière ou chaque cuisinier détermine les ustensiles qui lui sont les plus utiles et les plus indispensables.

Il existe de nombreux ustensiles pour éplucher et nettoyer, pour couper, pour mesurer, pour mélanger et pour cuire. Tu trouveras également d'autres ustensiles ayant diverses utilités.

USTENSILES POUR ÉPLUCHER ET NETTOYER

- **Brosse à légumes**
  - nettoyer et brosser les légumes.

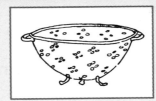

- **Passoire**
  - égoutter certains aliments comme les pâtes, les fruits et les légumes.

- **Éplucheur de légumes (utilisation très économique)**
  - peler ou râper les fruits ou les légumes;
  - tailler des copeaux de chocolat.

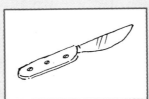

- **Petit couteau à éplucher (couteau d'office)**
  - couper, peler et trancher les fruits et les légumes.

USTENSILES POUR COUPER

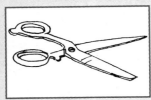

- **Ciseaux de cuisine**
  - couper certains aliments;
  - enlever les parties non comestibles;
  - couper les cordes des viandes roulées, les poissons, le persil et autres fines herbes, ainsi que les guimauves.

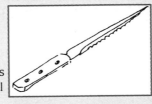

- **Couteau à pain (ustensile muni d'une lame dentelée)**
  - trancher le pain;
  - couper les sandwiches, les gâteaux.

- **Coupe-biscuits (emporte-pièce)**
  - découper des biscuits, du pain et de la pâte de diverses façons.

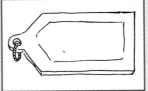

- **Planche de bois ou de plastique (planche à découper)**
  - couper les fruits et les légumes;
  - couper la viande, le fromage, le pain.

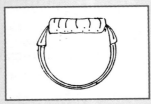

- **Coupe-pâte (mélange-pâte)**
  - mêler des matières grasses à des ingrédients secs;
  - défaire les œufs durs pour des sandwiches ou des salades.

- **Râpe**
  - réduire en fins morceaux le fromage et certains légumes.

- **Couteau à découper et à émincer (couteau du chef)**
  - trancher la viande crue ou cuite;
  - couper les viandes congelées.

- **Spatule à gâteau**
  - glacer et couper les gâteaux.

USTENSILES POUR MESURER

Balance
– peser les aliments.

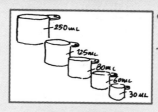

Mesures pour les ingrédients solides
– mesurer les ingrédients secs.

Cuillères à mesurer
– mesurer les petites quantités d'ingrédients secs;
– mesurer les petites quantités de liquides.

Tasses pour les liquides
– mesurer les liquides;
– mesurer les corps gras;
– préparer les sauces au four à micro-ondes;
– fondre les gras au micro-ondes.

USTENSILES POUR MÉLANGER

Batteur manuel ou électrique
– battre les œufs;
– monter les blancs d'œufs en neige.

Fouet
– battre les œufs;
– brasser les sauces et les mayonnaises.

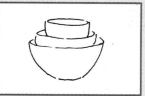

Bols à mélanger (de dimensions variées)
– mélanger les ingrédients.

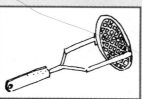

Pilon
– écraser des légumes cuits (pommes de terre, carottes, navet, etc.).

Cuillère de bois
– mettre en crème (gras et sucre);
– remuer les préparations chaudes.

Spatule de caoutchouc (curette ou raclette)
– nettoyer les contours des bols;
– retirer les mélanges des bols;
– incorporer les ingrédients.

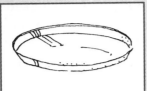

Assiette à tarte
- cuire les tartes et les petites pizzas;
- griller les amandes et la noix de coco;
- réchauffer certains aliments.

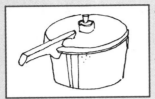

Autocuiseur (casserole hermétique munie d'une soupape de pression)
- utilisé pour la cuisson rapide.

Bain-marie (deux casseroles emboîtées l'une dans l'autre)
- préparer les mets qui demandent une température peu élevée (crèmes, sauces et préparations à base de lait);
- empêcher les aliments de coller au fond.

Casserole (en aluminium, en acier, en cuivre, en verre)
- réchauffer les aliments;
- préparer les soupes et les sauces;
- mijoter les ragoûts.

Cocotte
- rôtir ou **braiser** les grosses pièces de viande;
- cuire au four les ragoûts et les pot-au-feu;
- cuire de grandes quantités de légumes;
- cuire les fèves au lard.

Moule à gâteau
- cuire toutes les formes et les sortes de gâteaux;
- refroidir le fudge et le sucre à la crème;
- déposer différentes préparations, chaudes ou froides.

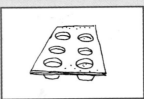

Moule à muffins
- cuire les petits gâteaux;
- cuire les petits pains individuels;
- cuire les muffins;
- cuire les canapés faits de tranches de pain.

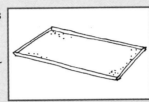

Moule à pain
- cuire les pains et les pains de viande;
- cuire certains gâteaux.

Plaque à gâteau et à biscuits ou lèchefrite
- cuire les biscuits et les croissants;
- cuire les gâteaux roulés;
- réchauffer les frites congelées;
- recueillir le gras des viandes rôties au four.

Poêle (poêlon)
- frire les œufs et les crêpes;
- griller certains aliments.

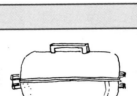

Rôtissoire
- cuire de très grosses pièces de viande, comme le poulet, la dinde, le rosbif, le gibier.

- **Bouilloire**
- bouillir rapidement de l'eau.

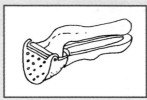

- **Presse-ail**
- écraser l'ail pour en extraire le jus.

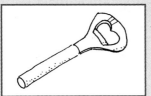

- **Décapsuleur**
- enlever la capsule des bouteilles.

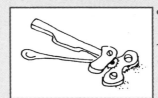

- **Ouvre-boîte (électrique ou manuel)**
- ouvrir les boîtes de conserve.

- **Écumoir**
- égoutter les aliments cuits;
- retirer les beignets ou les frites de l'huile chaude.

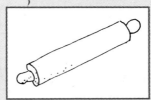

- **Rouleau à pâte**
- étendre ou abaisser la pâte;
- écraser les noix, les céréales.

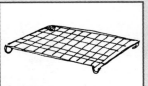

- **Grille de refroidissement**
- refroidir le gâteau, les tartes, les muffins et autres préparations;
- protéger le comptoir ou la table.

- **Tamis**
- tamiser la farine aux autres ingrédients secs pour les rendre plus légers.

- **Louche**
- servir les potages et les soupes;
- servir les sauces et les préparations épaisses.

- **Thermomètre culinaire**
- vérifier la cuisson des viandes avec précision;
- vérifier la température de certains aliments et bonbons.

- **Pince**
- retirer les aliments chauds ou les retourner dans la poêle ou le poêlon.

- **Spatule de métal**
- retourner les œufs et les crêpes.

- **Pinceau à pâtisserie**
- badigeonner les viandes, les croûtes de tartes;
- graisser les moules.

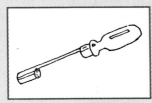

- **Vide-pommes**
- enlever le cœur des pommes.

TECHNIQUES DE MESURES

L'action de mesurer les ingrédients n'est pas une étape inutile. Au contraire, elle te permet d'éviter les échecs et les mauvaises surprises.

Les personnes expérimentées ont appris à estimer correctement les mesures à l'œil. Cette habileté vient avec le temps, après plusieurs essais, beaucoup de patience et des recettes non élaborées.

Apprends à mesurer avec précision afin d'obtenir les meilleurs résultats possibles et de pouvoir par la suite estimer les quantités des ingrédients.

Les ingrédients se classent en deux groupes: **les liquides et les solides**. Les tasses graduées et les cuillères de différentes grandeurs servent à mesurer ceux-ci.

TECHNIQUE DE MESURE POUR LES INGRÉDIENTS LIQUIDES

- Tu dois toujours déposer la tasse à mesurer les liquides sur une surface plane.
- Tu vérifies la mesure de l'ingrédient en plaçant ton œil à la hauteur du liquide.
- Les sirops, le miel liquide et la mélasse se mesurent mieux si on les chauffe quelques minutes au four à micro-ondes.
- Les petites quantités de 25 mL et moins de liquide se mesurent avec les cuillères à mesurer. Celles-ci doivent être remplies jusqu'au bord comme si elles allaient déborder.
- Par précaution, tiens la cuillère au-dessus d'un bol vide, au cas où tu en verserais trop et qu'accidentellement le surplus se répandait sur les autres ingrédients.

Source: École secondaire La Calypso

DESCRIPTION DE L'USTENSILE SERVANT À MESURER LES INGRÉDIENTS LIQUIDES

- tasse en pyrex ou en plastique transparent munie d'un bec verseur;
- peut contenir 250 mL, 500 mL ou 1 litre et plus de liquide;
- très pratique pour la cuisson au four à micro-ondes;
- sert à mesurer les liquides de toutes sortes.

TECHNIQUE DE MESURE POUR LES INGRÉDIENTS SOLIDES

- Tu remplis la tasse et tu enlèves le surplus avec le dos d'un couteau.
- La cassonade doit être pressée lorsque tu la mesures. Elle doit conserver la forme de la tasse une fois démoulée.
- Ne presse pas s'il s'agit de farine.
- Les mesures sont rases.
- La margarine molle et les gras ramollis se mesurent aussi selon cette technique mais tu dois les tasser.

  1. Tu remplis la mesure avec une cuillère ou une pelle.
  2. Tu presses l'ingrédient s'il s'agit de la cassonade.
  3. Tu enlèves le surplus avec le dos d'un couteau.

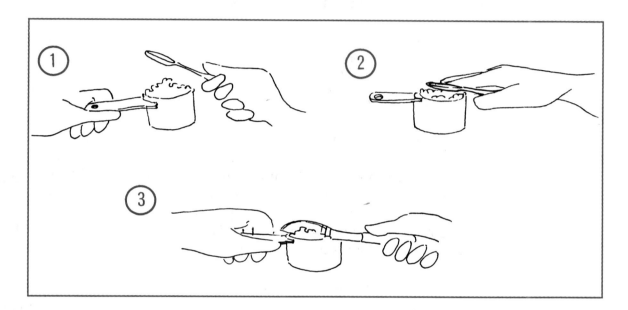

DESCRIPTION DE L'USTENSILE SERVANT À MESURER LES INGRÉDIENTS SOLIDES

- ensemble de tasses de métal ou de plastique;
- habituellement en série de quatre ou cinq mesures;
- généralement présenté dans les formats de 30 mL, 60 mL, 80 mL, 125 mL et 250 mL.

250 mL   125 mL   80 mL   60 mL   30 mL

DESCRIPTION DES PETITES MESURES POUR LES SOLIDES ET LES LIQUIDES

1 mL
2 mL
5 mL
15 mL
25 mL

- faites de métal ou de plastique rigide;
- indication de leur capacité sur le manche;
- formats de 1 mL, 2 mL, 5 mL, 15 mL et 25 mL;
- plus grande durabilité pour les mesures de plastique car elles ne se déforment pas.

Prends note que, parfois, dans une recette, on demande une «pincée» de sel, d'épices ou de fines herbes.

TECHNIQUE DE MESURE POUR LES GRAS LIQUIDES

- Tu procèdes de la même façon qu'avec les ingrédients liquides.

TECHNIQUE DE MESURE POUR LES GRAS SOLIDES

- Tu mesures les gras solides (durs) par la méthode de déplacement d'eau ou d'immersion.
- Exemple: pour mesurer 100 mL de gras solide, tu remplis la tasse d'eau froide jusqu'à 100 mL.
- Ensuite, tu laisses tomber le gras solide, par petites quantités, en l'enfonçant sous l'eau, jusqu'à ce que le niveau atteigne 200 mL.
- Tu vides l'eau et tu éponges le gras avec un papier absorbant.

2.6.3

TERMES CULINAIRES

Comprends-tu tout ce qui est indiqué dans une recette?

La cuisine a un langage bien particulier. Si tu ne saisis pas toutes les directives, tu peux te reporter à une liste de termes culinaires présentée dans certains manuels de recettes.

Malheureusement, tous n'en contiennent pas; c'est pourquoi tu gagnes à en connaître quelques-uns.

Voici certains des termes les plus couramment utilisés.

TERME	ILLUSTRATION	SIGNIFICATION
ALTERNER		Ajouter successivement des ingrédients à une préparation, en petites quantités, en répétant un ordre régulier. Exemple: alterner la farine et le lait signifie: 1. Ajouter un peu de farine et mélanger. 2. Ajouter un peu de lait et mélanger. 3. Exécuter les deux opérations une autre fois et terminer par une addition de farine.
ASSAISONNER		Relever le goût des aliments en ajoutant du sel, du poivre, des épices ou des fines herbes.
BADIGEONNER		Étendre, à l'aide d'un pinceau, une mince couche de gras, de liquide ou de jaune d'œuf sur une préparation.
BATTRE		Agiter une préparation avec un ustensile approprié, en la retournant sur elle-même afin d'y introduire de l'air pour la rendre plus légère.
COUPER		Diviser un aliment en morceaux plus petits à l'aide d'un couteau ou des ciseaux. Ce terme signifie aussi distribuer un gras solide dans un ingrédient sec à l'aide d'un coupe-pâte.
CRÉMER		Amollir un gras à l'aide d'une cuillère ou d'un mélangeur électrique jusqu'à l'obtention d'un mélange lisse et onctueux.

ÉMINCER

Couper en tranches très fines.

FAIRE REVENIR

Faire prendre une légère coloration à un aliment en le mettant dans un corps gras très chaud.

FOUETTER

Battre rigoureusement une préparation pour y incorporer de l'air afin qu'elle devienne lisse et légère ou pour en augmenter le volume.

GRATINER

Recouvrir un mets de fromage ou de chapelure et le passer au four pour qu'il devienne doré.

RÂPER

Réduire en petits morceaux au moyen d'une râpe.

SAUPOUDRER

Parsemer un mets d'un ingrédient sec comme le sucre, la chapelure ou la cassonade.

2.6.4

MÉTHODE RATIONNELLE DE TRAVAIL

Avant de commencer à cuisiner, tu dois établir un plan pour la préparation des aliments, la cuisson de ceux-ci, le rangement de la cuisine ou du laboratoire. Cette démarche te permet d'économiser du temps et de l'énergie.

Apprends à travailler avec rapidité, assurance et efficacité. Ainsi, tu seras «méthodique».

Une bonne planification t'aidera à accomplir chaque étape du travail au moment opportun.

Adopter une méthode rationnelle dans la préparation des aliments, c'est:

1. **regrouper les ingrédients;**
2. **vérifier les ustensiles et les plats requis;**
3. **respecter la méthode de préparation;**
4. **nettoyer;**
5. **ranger.**

MÉTHODE RATIONNELLE DE TRAVAIL

Lorsque tu entres dans la cuisine:

Lave tes mains avec un savon non parfumé.

Mets ton tablier.

Lis bien la recette.

Avant de commencer à faire la recette:

Rassemble les ingrédients dont tu as besoin.

Sors les ustensiles nécessaires.

Mesure les quantités demandées.

Lorsque tu es en plein travail:

Règle la minuterie du four.

Surveille bien tout ce qui est sur la cuisinière.

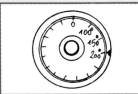
À la fin, éteins les éléments de la cuisinière.

Lorsque tu as fini:

Dresse le couvert et présente les plats.

Prépare les boissons.

Fais la vaisselle, nettoie et range.

En suivant pas à pas ces étapes, tu as la certitude d'obtenir des résultats très satisfaisants. Le fait de travailler trop rapidement et négligemment peut te faire commettre une erreur qui pourrait te mener à un échec et, bien entendu, te décevoir.

2.6.5

MESURES D'HYGIÈNE ET DE SÉCURITÉ

Il y a deux raisons pour lesquelles tu dois agir avec soin dans la cuisine ou dans le laboratoire d'économie familiale.

Premièrement, tu te protèges contre certains accidents souvent malencontreux. Deuxièmement, tu rends l'espace le plus sécuritaire possible pour toi et ta famille ou pour ton groupe lors des exercices culinaires à l'école.

L'hygiène est indispensable à la protection de la santé des personnes qui consomment les aliments que tu prépares.

Les mesures d'hygiène et de sécurité à respecter dans une cuisine concernent:

Source: Renée Deshaies

- **les aliments:**
  - **leur conservation,**
  - **leur entreposage,**
  - **leur préparation;**
- **les personnes;**
- **les ustensiles de cuisine.**

CONSERVATION ET ENTREPOSAGE DES ALIMENTS

Peu importe à quoi ressemblent le laboratoire d'économie familiale ou ta propre cuisine, il y a toujours danger de contamination:

- si les aliments ne sont pas bien entreposés;
- si les habitudes de chacun et de chacune en rapport avec la propreté laissent à désirer.

Les bactéries ou les microbes sont de minuscules organismes invisibles à l'œil nu. Beaucoup sont inoffensifs. D'autres, par contre, peuvent être très dangereux et causer des maladies souvent mortelles.

Les bactéries nocives se multiplient très rapidement dans les aliments gardés à des températures variant de 5 °C à 60 °C. Le froid ralentit leur croissance. La congélation l'arrête jusqu'à ce que l'on décongèle le produit alimentaire.

La seule façon d'éliminer un bon nombre de bactéries est de faire chauffer les aliments à une haute température. Ne jamais laisser les aliments potentiellement dangereux à la température de la pièce pendant plus de deux heures (poisson, volaille, lait, crème, œufs).

Tu peux utiliser certains de ces aliments comme préparations pour les sandwiches que tu apporteras à l'école. Prépare-les la veille, enveloppe-les dans un sac de plastique et place-les au réfrigérateur ou au congélateur pour une plus grande sécurité.

En plus de la réfrigération et de la congélation, d'autres procédés favorisent la conservation des aliments:

- **la mise en conserve** (chaleur) – exemple: pois verts
- **la déshydratation** (retrait de l'eau) – exemple: lait en poudre
- **le fumage** (exposition à la fumée) – exemple: jambon
- **le salage** (action de saler) – exemple: petits concombres

Les aliments secs seront rangés immédiatement dans des contenants hermétiques et placés au garde-manger ou dans les autres armoires. Ces endroits sont frais, aérés et à l'abri des rayons du soleil.

Adopte une rotation au moment de ranger les denrées afin d'être le plus à jour possible au moment de tes inventaires.

PRÉPARATION DES ALIMENTS

De nos jours, plusieurs membres de la famille mettent «la main à la pâte», à la préparation des aliments. Chacune et chacun prennent plaisir à cuisiner dans un espace sécuritaire et sont très prudents en ce qui concerne l'hygiène.

Prépare des mets alléchants, simples et nutritifs, mais attention, conserve à ces derniers toute leur **salubrité**.

Lave les fruits et les légumes avant de les consommer, car ils ont été arrosés d'insecticides.

Décongèle les aliments dans le réfrigérateur même si cela augmente le temps de décongélation. Ainsi, tu éviteras de les laisser trop longtemps à la température de la pièce, zone idéale pour la multiplication des microbes. Tu peux également utiliser le four à micro-ondes.

Fais bien cuire la volaille et le porc, car ils sont particulièrement susceptibles de porter des germes nuisibles.

Avant d'ouvrir une boîte de conserve, prends soin d'en nettoyer le dessus.

Évite le contact d'un aliment cru avec un aliment cuit. Assure-toi que ta surface de travail est propre.

Si tu doutes du contenu d'une boîte de conserve ou si celle-ci est bombée, jette-la.

Ne congèle pas de nouveau les aliments et prends garde aux produits surgelés décongelés.

TABLEAU 19

MESURES D'HYGIÈNE ET DE SÉCURITÉ S'APPLIQUANT AUX PERSONNES ET AUX USTENSILES DANS LA CUISINE OU LE LABORATOIRE.

	HYGIÈNE	SÉCURITÉ
I N D I V I D U S	• se laver les mains à l'eau chaude avec du savon; • couvrir sa bouche lorsque l'on tousse ou éternue; • panser ses plaies; • porter un tablier; • attacher ses cheveux; • ne pas utiliser la même cuillère pour goûter les aliments; • utiliser un linge de table propre.	• éviter les manches longues et amples; • placer l'extincteur à la portée de la main; • nettoyer tout liquide répandu sur le sol; • utiliser le bicarbonate de soude ou le sel pour éteindre un feu sur la cuisinière ou dans le four.
U S T E N S I L E S	• travailler sur une surface propre; • laver la vaisselle à l'eau très chaude et la rincer; • essuyer les contenants après usage; • nettoyer les appareils électroménagers; • nettoyer le comptoir et les ustensiles après chaque opération.	• jeter les ustensiles rouillés ou abîmés; • emballer le verre brisé avant de le déposer à la poubelle; • tourner les poignées des casseroles vers l'intérieur sur la cuisinière et le comptoir; • utiliser une cuillère de bois pour les préparations chaudes; • déposer les plats chauds sur un sous-plat; • porter une mitaine isolante pour manipuler les plats chauds; • présenter un couteau par le manche; • saisir la fiche et non le fil pour débrancher un appareil électrique; • éteindre le four et les éléments de la cuisinière après la cuisson.

MODES DE CUISSON

La cuisson, tout comme la conservation, fait perdre aux aliments une partie de leurs éléments nutritifs. En général, plus le temps de cuisson est court, plus leur valeur nutritive est préservée.

Le choix d'un mode de cuisson dépend de la recette utilisée, du matériel dont on dispose et, bien entendu, des préférences de chacune et de chacun. Une cuisson appropriée à une coupe de viande, par exemple, lui assurera une meilleure saveur et une plus grande tendreté.

Les divers modes de cuisson se répartissent ainsi:

- à la vapeur;
- à la vapeur sous-pression;
- au four;
- au four à micro-ondes;
- dans un liquide;
- en friture;
- par grillade.

À LA VAPEUR

Ce mode de cuisson est un excellent moyen de cuire les légumes. La perte de substances nutritives est minime, et la saveur des aliments n'est pas diminuée. Cette méthode favorise la conservation des vitamines puisque les légumes ne trempent pas dans l'eau. Pour cuire à la vapeur, on place les aliments dans un panier de métal appelé «marguerite».

L'utilisation du bain-marie est une excellente façon de cuire des crèmes, des sauces et différentes préparations à base de lait. Il faut s'assurer que l'eau est en quantité suffisante dans la casserole du dessous.

À LA VAPEUR SOUS-PRESSION

Un moyen rapide de cuire des aliments tout en conservant leur valeur nutritive est la cuisson à la vapeur sous-pression. Cette méthode a l'avantage de cuire au moins deux fois plus rapidement que tout autre mode de cuisson.

La couleur des légumes est conservée. Il faut prendre soin de surveiller étroitement le temps de cuisson.

L'autocuiseur est une casserole hermétiquement fermée dont le couvercle est muni d'une soupape de pression.

Cette cuisson convient bien aux ragoûts, au jambon, aux pot-au-feu et aux légumes.

Ne soulève jamais le couvercle ni la soupape de l'autocuiseur pendant la cuisson.

AU FOUR

Cette méthode est appropriée pour la conservation des éléments nutritifs à condition que la durée de cuisson ne soit pas prolongée.

Rôtir et cuire au four ont la même signification, et l'utilisation d'un terme plutôt que de l'autre dépend en fait de l'aliment à cuire. Aussi, le jambon, le poisson, le pain, les gâteaux et les soufflés sont cuits au four, tandis que les pièces de viande et les volailles entières sont rôties.

Le four servira également à gratiner certains aliments. C'est la chaleur qui en colore la surface.

AU FOUR À MICRO-ONDES

La durée de cuisson étant très courte, les pertes de vitamines sont minimisées. De plus, puisqu'il y a peu ou pas de liquide de cuisson, les vitamines sont mieux conservées.

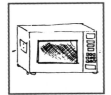

Pour obtenir de bons résultats avec un tel four, il faut cependant un peu de pratique. En général, la quantité et la composition des aliments déterminent le temps de cuisson.

Aux objectifs 2.6.8 et 2.6.9, des notions plus élaborées te seront expliquées: les avantages et les inconvénients de l'utilisation du four à micro-ondes ainsi que des techniques propres à ces utilisations.

DANS UN LIQUIDE

Pour ce genre de cuisson, on ajoute toujours aux aliments à cuire soit de l'eau, du bouillon, du vin ou de la bière. La cuisson dans un liquide rend les viandes de moins bonne coupe et les légumes fibreux plus tendres. On peut faire bouillir, **pocher** ou mijoter des aliments dans un liquide.

Comme tout liquide qui bout s'évapore, n'oublie pas de vérifier la quantité de temps à autre; rajoutes-en au besoin.

Cette méthode favorise la perte d'éléments nutritifs dans l'eau; on peut la diminuer en commençant la cuisson dans l'eau bouillante salée et en cuisant dans le moins de liquide possible.

EN FRITURE

La friture à la poêle s'utilise pour la cuisson des œufs, de la viande hachée, du veau et du poisson. Comme on frit les aliments directement au-dessus de la chaleur avec très peu d'huile, moins la cuisson est longue, moins l'aliment en absorbe.

Si tu cuis de la viande avec des légumes, fais d'abord brunir la viande, que tu retireras pour faire cuire les légumes jusqu'à ce qu'ils soient tendres mais encore fermes.

La friture dans un bain d'huile, lorsqu'elle est bien faite, n'en fait absorber aux aliments qu'une quantité minime.

La valeur énergétique des aliments est plus grande lorsqu'on leur ajoute une matière grasse (beurre, huile ou autres) pour la cuisson.

PAR GRILLADE

Ce procédé de cuisson donne de meilleurs résultats si l'on place la viande sur la grille dans une **lèchefrite** ou sur le gril de façon qu'elle puisse cuire également de tous les côtés, sans baigner dans le jus de cuisson.

La chaleur pénètre dans le rôti ou la volaille et les cuit lentement. On choisit cette cuisson pour les coupes de boeuf ou d'agneau moins épaisses, ainsi que pour le poulet, le poisson et même certains fruits et légumes.

2.6.7

APPLICATION DES TECHNIQUES CULINAIRES DANS LA CONFECTION DE METS À BASE D'ALIMENTS DES QUATRE GROUPES DU *GUIDE ALIMENTAIRE CANADIEN POUR MANGER SAINEMENT*

Les quatre groupes alimentaires ont été étudiés sous tous leurs angles aux objectifs précédents. Tu connais maintenant l'importance de ces derniers dans une saine alimentation. En application, tu réaliseras des recettes à base de certains aliments faisant partie des groupes:

- **des produits céréaliers;**
- **des légumes et fruits;**
- **des produits laitiers;**
- **des viandes et substituts.**

Source: École secondaire La Calypso

En plus, tu as appris les noms et les utilisations des ustensiles de cuisine. C'est le temps de t'en servir.

Les termes culinaires vus à l'objectif 2.6.3 te permettront de comprendre davantage la lecture d'une recette. Les techniques de mesure, les modes de cuisson, la méthode rationnelle de travail dans la préparation des aliments seront appliqués lors de la pratique culinaire au laboratoire ou chez toi, dans la cuisine familiale.

De plus, n'oublie pas toutes les mesures d'hygiène et de sécurité concernant les aliments, les personnes et les ustensiles.

En préparant des mets simples, nutritifs et délicieux, tu satisfais tes besoins nutritionnels... et tu te fais plaisir en partageant les résultats avec tes amies, tes amis ou ta famille.

METS À BASE DE PRODUITS CÉRÉALIERS

PRODUITS CÉRÉALIERS

MUFFINS AUX BLEUETS ET À L'AVOINE

PRODUITS CÉRÉALIERS	MUFFINS AUX BLEUETS ET À L'AVOINE
250 mL de farine	1. Chauffer le four à 190 °C.
10 mL de poudre à pâte	2. Mélanger les ingrédients secs suivants: farine, poudre à pâte, sel et cannelle.
2 mL de sel	
2 mL de cannelle	3. Ajouter la cassonade et les flocons d'avoine.
180 mL de flocons d'avoine	
125 mL de cassonade	4. Dans un grand bol, battre l'œuf, le lait et la margarine fondue.
1 œuf	
250 mL de lait	5. Ajouter les ingrédients secs et remuer juste assez pour bien humecter.
60 mL de margarine fondue	
180 mL de bleuets frais ou congelés	6. Incorporer les bleuets.
	7. Cuire 20 minutes.
	• 12 muffins

METS À BASE DE PRODUITS CÉRÉALIERS

PRODUITS CÉRÉALIERS — PIZZA SUR PITA

Fond de pizza	1. Chauffer le four à 230 ˚C.
Pâte à pizza commerciale ou	2. Laver les légumes et les émincer.
Pita ou	3. Attendrir les légumes en les faisant
Muffin anglais ou	revenir à feu moyen dans 5 mL d'huile
Pain hamburger	végétale.
	4. Étendre la moitié de la sauce sur le fond
Sauce	de pizza.
Sauce tomate ou	5. Disposer la garniture prévue et étaler le
Sauce à pizza ou	reste de la sauce.
Crème de champignon ou	6. Couvrir de fromage râpé et disposer les
Crème de céleri ou	rondelles d'olives.
Béchamel	7. Cuire de 15 à 20 minutes selon le fond
	utilisé.

Garnitures
- Oignons, poivrons, champignons, brocoli, chou-fleur, courgettes, asperges
- Saumon ou thon en conserve, viandes froides (moins grasses que le pepperoni)
- Mozzarella ou cheddar partiellement écrémé, râpé
- Olives noires ou vertes coupées en rondelles

PRODUITS CÉRÉALIERS — RIZ PILAF

1/2 oignon haché	1. Peler et hacher l'oignon.
15 mL d'huile végétale	2. Chauffer l'huile dans une casserole, à feu
125 mL de riz	moyen, et faire revenir l'oignon jusqu'à
250 mL de bouillon de poulet ou de	ce qu'il soit transparent.
bœuf chaud	3. Ajouter le riz et remuer à l'aide d'une
1 petite feuille de laurier	cuillère de bois pendant 2 minutes.
Sel et poivre	4. Ajouter le bouillon et les assaisonne-
	ments.
	5. Porter à ébullition.
Riz aux petits légumes:	6. Couvrir, réduire le feu et laisser mijoter
doubler la recette et ajouter, en	environ 20 minutes.
même temps que le liquide chaud,	7. Retirer la feuille de laurier.
des petits dés de carottes, des petits	• 3 portions
pois congelés ou tout autre légume.	
	On peut aussi couvrir et cuire au four à 200 ˚C.

LÉGUMES   SALADE DE CAROTTES ET DE CÉLERI

250 mL de carottes râpées	1. Laver les carottes et le céleri.
60 mL de céleri en dés	2. Peler et râper les carottes.
30 mL de raisins secs	3. Couper le céleri en dés.
2 mL de jus de citron	4. Dans un petit bol, mélanger les carottes râpées, le céleri et les raisins secs.
5 mL d'huile végétale	5. Juste avant de servir, ajouter le jus de citron et l'huile. Mêler délicatement à l'aide d'une fourchette.
	• 2 portions

LÉGUMES   SOUPE RAPIDE

300 mL d'eau chaude	1. Dans une grande casserole, porter les liquides à ébullition.
300 mL de jus de tomate	
15 mL de bouillon de poulet en poudre	2. Ajouter les légumes et les pâtes alimentaires ou le riz.
60 mL de pâtes alimentaires fines ou de riz	3. Laisser mijoter 20 minutes.
250 mL de légumes congelés, frais (émincés finement) ou de restes de légumes cuits en dés	4. Assaisonner.
Sel – poivre – sel de céleri	• 4 portions

METS À BASE DE FRUITS

FRUITS — BARRES CROUSTILLANTES AUX DATTES

2 œufs	1. Dans une casserole, mélanger les œufs et la cassonade pour obtenir une consistance homogène.
60 mL de cassonade	
375 mL de dattes hachées	
310 mL de céréales genre *Rice Krispies*	2. Ajouter les dattes hachées.
125 mL de noix hachées	3. Cuire à feu moyen, en brassant fréquemment avec une cuillère de bois, pendant environ 10 minutes ou jusqu'à consistance épaisse et onctueuse.
5 mL d'essence de vanille	
Noix de coco séchée	
	4. Retirer du feu.
	5. Incorporer les céréales, les noix et l'essence de vanille.
	6. Tasser dans un moule carré de 20 cm légèrement huilé.
	7. Parsemer le dessus de la préparation de noix de coco.
Note: Conserver dans un moule recouvert de papier d'aluminium, dans un endroit frais et sec.	8. Refroidir 30 minutes.
	9. Tailler en barres de 2 cm x 5 cm.
	• 15 barres

FRUITS — POMMES AVEC SAUCE AU YOGOURT

2 pommes	1. Laver les pommes et les couper en dés.
30 mL de jus d'orange	2. Placer les pommes dans un petit bol et recouvrir de jus d'orange.
15 mL de raisins secs	
15 mL de noix hachées	3. Ajouter les raisins et les noix et bien mêler.
125 mL de yogourt nature	
30 mL de jus de pomme concentré, décongelé, non reconstitué	4. Répartir le mélange dans 2 bols à dessert.
0,5 mL de cannelle	5. Mêler le yogourt, le jus de pomme, la cannelle et la muscade.
1 pincée de muscade	
	6. Napper les pommes de cette sauce.
	• 2 portions

METS À BASE DE FRUITS

FRUITS — COUPES DE FRUITS ET D'ALPHABETS

Ingrédients	Préparation
75 mL d'alphabets	1. Cuire les alphabets dans une petite casserole selon les instructions sur la boîte.
2 bananes tranchées	
2 kiwis	
4 tranches d'ananas	2. Les refroidir.
Quelques cerises rouges	3. Trancher les bananes et les arroser de jus de citron pour les empêcher de noircir.
454 g de guimauves miniatures	
1 boîte de salade de fruits (796 mL)	
100 mL du jus des fruits	4. Tailler en morceaux les kiwis et les tranches d'ananas.
500 mL de crème à fouetter	
30 mL de sucre	5. Couper en deux les cerises rouges.
	6. Mélanger dans un grand bol tous les fruits, les guimauves, la salade de fruits et le jus.
	7. Réfrigérer.
	8. Fouetter la crème avec le sucre.
	9. Incorporer au mélange de crème les fruits et les alphabets refroidis.
	10. Verser dans des coupes individuelles.
	11. Décorer de petits morceaux de cerises et de kiwis.
	Environ 16 coupes

METS À BASE DE PRODUITS LAITIERS

PRODUITS LAITIERS — LAIT DE POULE FRAPPÉ À LA VANILLE

250 mL de lait	1. Verser tous les ingrédients dans le récipient du mélangeur électrique.
1 œuf	
125 mL de crème glacée	2. Mélanger à grande vitesse et laisser reposer 2 minutes avant de servir.
1 mL d'essence de vanille	
15 mL de miel	• 1 portion

Note: On peut remplacer le miel par 15 mL de cassonade.

METS À BASE DE PRODUITS LAITIERS

PRODUITS LAITIERS

BOISSON RÉVEIL

Ingrédients	Préparation
1 œuf	1. Mettre tous les ingrédients dans le mélangeur.
1/2 banane ou	
125 mL de fraises fraîches ou de pêches en quartiers	2. Agiter 30 secondes.
	• 1 portion
80 mL de jus d'orange	
80 mL de lait	
15 mL de germe de blé	

Note: Si on ne dispose pas d'un mélangeur, omettre les fruits frais et brasser les autres ingrédients avec un fouet ou au batteur manuel.

PRODUITS LAITIERS

QUICHE SANS CROÛTE AU FROMAGE ET AU BROCOLI

Ingrédients	Préparation
125 mL de fleurettes de brocoli	1. Chauffer le four à 175 °C.
30 mL de chapelure	2. Cuire le brocoli 3 minutes.
125 mL d'oignon haché finement	3. Huiler une assiette à tarte de 23 cm.
2 mL d'huile	4. Saupoudrer l'assiette de chapelure.
2 œufs	5. Faire revenir l'oignon dans une poêle.
180 mL de lait partiellement écrémé	6. Battre les œufs, le lait et la farine dans un bol.
7 mL de farine	
125 mL de jambon en lanières	7. Ajouter les oignons, le jambon et le fromage. Bien mélanger.
80 mL de fromage mozzarella partiellement écrémé râpé	8. Incorporer le brocoli à demi cuit.
Sel et poivre	9. Saler et poivrer.
	10. Verser dans l'assiette à tarte.
	11. Cuire 60 minutes ou jusqu'à ce qu'un couteau inséré au centre en ressorte propre. Laisser refroidir 5 minutes avant de couper.
	• 4 portions

VIANDE — SANDWICH AU JAMBON

Ingrédients	Préparation
60 mL de beurre mou (ou de margarine)	1. Mélanger dans un bol: beurre mou, «relish», moutarde préparée, oignons hachés et sauce Worcestershire.
15 mL de moutarde préparée	
15 mL de «relish» sucrée	2. Tartiner de ce mélange l'intérieur des petits pains.
30 mL d'oignons hachés finement	
5 mL de sauce Worcestershire	3. Placer une tranche de jambon et de fromage dans chaque pain.
4 pains à hamburger	
4 tranches minces de jambon cuit	4. Envelopper sans serrer dans un papier d'aluminium. Cuire à 180 °C environ 15 minutes.
4 tranches de fromage jaune	

• 4 portions

VIANDE — FOIE AUX LÉGUMES

250 grammes de foie de porc, de veau ou de bœuf	1. Couper le foie en fines lanières.
30 mL de farine	2. Mettre la farine, le sel et le poivre dans un sac de plastique; y ajouter le foie et secouer pour en enfariner tous les morceaux.
Sel et poivre au goût	
15 mL de beurre ou de margarine	
50 mL d'oignon haché finement	3. Fondre le gras dans une poêle et y dorer tous les légumes.
100 mL de céleri émincé	
100 mL de champignons tranchés	4. Ajouter le foie et cuire 4 minutes à feu vif en brassant fréquemment.
1/2 poivron vert haché grossièrement	
100 mL de consommé de bœuf	5. Ajouter le consommé et le ketchup.
15 mL de ketchup rouge	6. Cuire 10 autres minutes.

POISSON — FILETS AU FOUR

Ingrédients	Préparation
500 g de filets de poisson frais ou décongelé	1. Chauffer le four à 180 °C.
1 mL de sel	2. Saler et poivrer les filets.
1 mL de poivre	3. Les mettre dans un plat à four graissé.
250 mL de mie de pain en dés	4. Rôtir les dés de pain, réserver.
30 mL de beurre ou de margarine	5. Faire revenir les oignons; ajouter la moutarde en poudre.
80 mL d'oignon haché	6. Mélanger les oignons et les dés de pain.
2 mL de moutarde en poudre	7. Ajouter le fromage et le persil.
125 mL de fromage cheddar râpé	8. Napper les filets de la garniture.
30 mL de persil haché	9. Cuire de 20 à 25 minutes.
	• 3 à 4 portions

LÉGUMINEUSES — SALADE DE POIS CHICHES

1 laitue romaine	1. Laver et essorer la laitue.
2 branches de céleri	2. Hacher grossièrement le céleri après l'avoir lavé.
1/2 poivron vert	
1/2 poivron rouge	3. Couper les poivrons en fines lanières.
Quelques champignons frais	4. Trancher les champignons après les avoir essuyés.
1 boîte de pois chiches (540 mL)	
1 boîte de maïs en grains (341 mL)	5. Mélanger les pois chiches et le maïs en grains avec les autres légumes.
Basilic et thym au goût	
	6. Assaisonner.
Vinaigrette	7. Mélanger tous les ingrédients de la vinaigrette dans un bol.
50 mL d'huile d'olive	
45 mL de jus de citron	8. Verser sur le mélange de pois chiches et de légumes. Laisser imprégner avant de servir.
Sel et poivre	
2 mL de moutarde sèche	
1 gousse d'ail écrasée	

ŒUFS

ŒUFS À LA KING

Ingrédients	Préparation
2 pains à hamburger ou muffins anglais	1. Régler le four à 230 °C.
1 boîte de crème de céleri (284 mL)	2. Griller au four les pains ouverts, placés sur une plaque.
30 mL de lait partiellement écrémé	3. Pendant ce temps, chauffer la soupe et le lait, en brassant pour rendre lisse.
3 œufs cuits dur coupés en tranches	
125 mL de macédoine de légumes égouttés	4. Ajouter les œufs tranchés et les légumes. Chauffer sans bouillir.
	5. Verser sur les pains.
	• 2 portions

2.6.8

AVANTAGES ET INCONVÉNIENTS DE L'UTILISATION DU FOUR À MICRO-ONDES

Au cours des dernières années, des changements sont survenus dans nos modes de vie et dans nos habitudes alimentaires. En l'occurence, le four à micro-ondes a transformé radicalement la cuisine traditionnelle.

Prends le temps d'apprivoiser ce four; tu te rendras compte qu'il permet d'obtenir des plats délicieux pour environ le tiers du temps normal de cuisson. Le four à micro-ondes a trois usages: cuire, réchauffer et dégeler.

À l'objectif 2.6.9, tu te familiariseras avec les techniques particulières à l'utilisation du four à micro-ondes.

Par ce mode de cuisson, les micro-ondes vont directement à la nourriture sans chauffer le four.

La plupart des gens savent quelle aide précieuse représente le four à micro-ondes dans la cuisine. Essaie d'imaginer tous les avantages qu'il t'offre! Il serait néanmoins malhonnête de ne pas souligner les inconvénients de l'utilisation de ce four.

TABLEAU 20

AVANTAGES ET INCONVÉNIENTS DE L'UTILISATION DU FOUR À MICRO-ONDES

AVANTAGES	INCONVÉNIENTS
• Conservation de la valeur nutritive • Décongélation rapide • Économie d'énergie • Économie de temps • Rapidité • Réchauffage • Utilisation de nombreux contenants de différents matériaux	• Espace restreint • Absence de coloration des aliments • Utilisation d'ustensiles particuliers • Nouvelles méthodes de travail • Ramollissement de certains mets • Temps d'attente • Cuisson inégale

AVANTAGES

CONSERVATION DE LA VALEUR NUTRITIVE

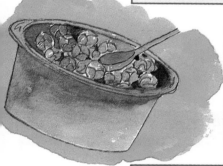

Comme on emploie peu ou pas d'eau avec ce mode de cuisson rapide, les légumes sortent du four avec leurs couleurs brillantes, pleins de saveur, tendres et nutritifs. Les viandes sont tendres et savoureuses.

Les légumes en boîte se réchauffent bien parce que, n'ayant pas besoin de jus, on peut les égoutter et ils retiennent ainsi leur goût frais et toute leur valeur nutritive.

DÉCONGÉLATION RAPIDE

L'un des multiples usages du four à micro-ondes consiste à y décongeler les aliments directement sortis du congélateur. La décongélation prend quelques minutes au lieu de plusieurs heures. Les jus sont retenus car la perte d'humidité est moindre. De plus, il n'y a pas de risques de bactéries, contrairement à ce qui se passe avec la méthode traditionnelle de décongélation.

Pour obtenir de meilleurs résultats, utilise les tableaux de décongélation que tu trouves dans le manuel d'instructions de ton four.

ÉCONOMIE D'ÉNERGIE ET DE TEMPS

Le repas est dans le four! Qui ne rêve pas d'entendre ces paroles quand la faim se fait sentir?

Tout comme avec le four conventionnel, tu peux préparer tous les plats du repas en même temps, mais avec le moins de casseroles possible.

Que faire pour gagner du temps et se faciliter la tâche? Dégeler un poulet, faire fondre du chocolat, ramollir du beurre, faire une sauce sans avoir à la remuer, griller des amandes, clarifier le miel tourné en sucre, et même réchauffer le biberon et la nourriture de bébé.

Les personnes âgées, les personnes handicapées et les jeunes peuvent aussi préparer leur repas sans risque de trop faire cuire les aliments ou de se brûler avec des plats trop chauds.

Le temps minimal de la cuisson, la réduction de kilowatts par heure, l'élimination du nettoyage du four, la suppression des dangers reliés à la chaleur et la facilité avec laquelle on peut servir les retardataires sont des avantages à l'utilisation du micro-ondes.

RAPIDITÉ

Quand tu désires servir à l'improviste un repas à des membres de ta famille ou à des amis ou amies, il existe une règle d'or: un garde-manger et un réfrigérateur bien garnis, jumelés à un four à micro-ondes.

Ainsi, tu obtiendras des repas préparés en un rien de temps.

TABLEAU 21

COMPARAISON DES TEMPS DE CUISSON DES ALIMENTS POUR LE FOUR CONVENTIONNEL ET LE FOUR À MICRO-ONDES

FOUR CONVENTIONNEL		FOUR À MICRO-ONDES	
• Gâteau au chocolat	45 min	• Gâteau au chocolat	9 min
• Quatre pommes de terre au four	60 min	• Quatre pommes de terre	15 min
• Biscuits	20 min	• Biscuits	3 min
• Bœuf bourguignon	120 min	• Bœuf bourguignon	35 min
• Poivrons farcis	60 min	• Poivrons farcis	20 min
• Carrés aux dattes	30 min	• Carrés aux dattes	7 min

Plus un récipient est étroit et en hauteur, plus la cuisson est rapide pour les sauces, les crèmes et les sucres.

RÉCHAUFFAGE

En un court instant, tu passes du froid au chaud. Non seulement la plupart des aliments chauffent-ils vite, mais ils conservent aussi leur humidité, leur couleur et leur saveur première quand ils sont bien disposés et recouverts.

Plus besoin de t'en faire si quelqu'un est en retard pour le repas. Sers le mets dans une assiette à micro-ondes, place-la au four, et en un clin d'œil le repas est de nouveau prêt.

Finis les pizzas froides et les hamburgers tièdes! Tu auras même du plaisir à manger les restes. Tu pourras, si tu le veux, préparer ta nourriture la veille, la réfrigérer et la servir le lendemain.

UTILISATION DE NOMBREUX CONTENANTS DE DIFFÉRENTS MATÉRIAUX

Étant donné que les micro-ondes traversent certains matériaux au lieu d'être absorbées par eux, tu as la possibilité d'un grand choix d'ustensiles de cuisine et de contenants.

Utilise du papier, du verre, et même une corbeille d'osier pour réchauffer les petits pains.

Attention! le récipient ne doit contenir aucune partie métallique.

Tu peux faire cuire ton mets dans l'ustensile dans lequel tu l'as mélangé, dégeler un mets dans son emballage ou son sachet initial.

Les contenants jetables, comme les assiettes et les verres de carton ou les serviettes de papier, font bien l'affaire. Mais par souci du respect de l'environnement, choisis des contenants réutilisables.

Le papier ciré, la pellicule de plastique, le papier essuie-tout (non recyclé) et les sacs à rôtir ou à bouillir sont des accessoires très utiles pour ce mode de cuisson.

La plupart des produits *Pyrex* et *Corning* vont dans le four à micro-ondes. De préférence, choisis des plats ronds ou ovales car la disposition des aliments en cercle est à adopter dans ce four.

Les plastiques rigides allant au lave-vaisselle peuvent être utilisés en toute sécurité.

Enfin, des ustensiles à brunir sont disponibles dans une grande variété de formes, allant des grilles plates au plats avec couvercles et poignées détachables.

INCONVÉNIENTS

ESPACE RESTREINT

Le four à micro-ondes est moins large et moins profond que le four conventionnel; par exemple, on ne peut pas y cuire une dinde ou une grosse pièce de viande. Les cocottes n'y ont pas leur place, ni les moules en longueur, comme une plaque à biscuits ou un moule à muffins.

ABSENCE DE COLORATION DES ALIMENTS

Le four à micro-ondes ne permet pas de faire brunir les aliments comme une cuisinière conventionnelle. Cela peut t'inquiéter au début, mais tu te rendras compte que ce détail n'est pas aussi important que tu le crois.

Le four à micro-ondes empêche l'humidité de s'échapper: voilà pourquoi les aliments n'ont pas cet aspect doré, caractéristique de la cuisson au four conventionnel.

Il existe cependant des plateaux à brunir et une grande variété de sauces et d'assaisonnements qui te permettront de faire dorer tes aliments préférés.

UTILISATION D'USTENSILES PARTICULIERS

Le métal mis a part, la plupart des matériaux, comme tu as pu le voir précédemment, peuvent servir pour la cuisson au micro-ondes.

À moins qu'ils ne soient approuvés, les articles qui contiennent du métal ne devraient jamais être utilisés dans ce four parce qu'ils réfléchissent les micro-ondes, les empêchant de passer à travers l'ustensile et d'atteindre la nourriture.

De plus, le métal qui vient en contact avec les parois du four causera un jaillissement d'étincelles, appelé «arc».

Cela n'est pas dangereux pour nous, mais cela endommage le four.

Toute la vaisselle décorée avec des dorures ou une bordure argentée ne devrait donc pas être employée.

L'essor de la cuisine au micro-ondes a aidé à créer de nouveaux produits pour ce genre de four; à toi de te tenir au courant des nouveautés lors de tes achats.

NOUVELLES MÉTHODES DE TRAVAIL

Il est facile de passer de la cuisinière ou du four conventionnel au four à micro-ondes. Mais il faut être décidé à réorganiser son alimentation et sa manière de faire. Pendant quelque temps, on ne peut réussir à faire les choses machinalement et cela nous retarde.

Bien évidemment, il faut faire l'inventaire de ses ustensiles qui peuvent être utilisés pour ce genre de four; il faut aussi adapter les recettes et les temps de cuisson. Habituellement, les fours à micro-ondes sont vendus avec un livre d'instructions et de recettes. Quelques éléments de base et quelques trucs permettront de se familiariser avec cette technique de cuisson très rapide.

Il faudra aussi se familiariser avec les ustensiles qui servent à brunir ou à décongeler, avec les tablettes tournantes, les niveaux d'intensité variables et les diverses commandes.

L'éventail des choses à faire avec un four à micro-ondes n'a de limites que celles de l'imagination.

RAMOLLISSEMENT DE CERTAINS ALIMENTS

Certains aliments, comme la pizza, les pâtés, les tartes et certains gâteaux ont tendance à ramollir lors du réchauffage. Et bien sûr, les légumes cuits trop longtemps deviendront mous.

Les aliments frits congelés et décongelés ne seront pas croustillants si tu les réchauffes au micro-ondes.

Par contre, l'une des possibilités qu'offre le micro-ondes est de ramollir la cassonade durcie en quelques secondes. Une toute petite quantité d'eau ou la présence d'un quartier de pomme produira en effet assez d'humidité pour en ramollir un bloc solide. Tu peux aussi rafraîchir les croustilles ou les biscuits soda ramollis en les chauffant environ une minute sur une assiette.

TEMPS D'ATTENTE

Une fois les aliments sortis du four, leur cuisson se poursuit encore quelque temps, à cause de la chaleur générée à l'intérieur.

Le temps d'attente est donc une étape importante du processus. La chaleur continue à se propager de l'extérieur vers l'intérieur des aliments.

Pour le temps de repos des mets à l'extérieur du four, place ceux-ci sur une surface plane, comme un comptoir ou une planche à pain résistant à la chaleur, plutôt que sur une grille.

CUISSON INÉGALE

L'uniformité et la rapidité de la cuisson sont influencées non seulement par la nature des aliments, mais aussi par certaines méthodes et par plusieurs facteurs qui influencent la cuisson, la décongélation ou le réchauffage.

Il faut placer ensemble les aliments de densité identique, sinon, ceux-ci cuiront inégalement. De plus, les gras, les sucres et l'eau provoquent une cuisson inégale car les micro-ondes les pénètrent plus rapidement.

Attention au minutage! Il est préférable d'ajouter du temps au fur et à mesure, que d'avoir un mets trop cuit.

TECHNIQUES PROPRES À L'UTILISATION DU FOUR À MICRO-ONDES

Après avoir appliqué des techniques culinaires à la confection de mets à base d'aliments des quatre groupes du *Guide alimentaire canadien pour manger sainement* et avoir reconnu des avantages et des inconvénients à l'utilisation du four à micro-ondes, tu es maintenant capable d'aborder quelques techniques particulières à cet appareil relativement à:

- **l'utilisation des ustensiles de cuisine;**
- **la cuisson;**
- **la décongélation;**
- **la préparation.**

UTILISATION DES USTENSILES DE CUISINE

Afin de bien réussir les recettes préparées pour le micro-ondes, emploie les bons ustensiles.

Revois les renseignements donnés à l'objectif 2.6.8 sur l'utilisation de nombreux contenants de différents matériaux.

Recherche également les étiquettes «Pour four à micro-ondes».
Rappelle-toi: pas de métal ni de contenants en aluminium.

TECHNIQUES PARTICULIÈRES DE CUISSON

Le temps, et non la température, doit être ta première préoccupation avec un four à micro-ondes. Au lieu de fixer temps de cuisson et température, il te suffit de régler la minuterie.

La durée de cuisson dans un four à micro-ondes est fondée sur trois choses: la température des aliments au moment de les mettre au four, leur quantité et leur densité.

Les aliments congelés ou froids prennent plus de temps à cuire.
Plus la quantité est importante, plus le temps de cuisson est long: une pomme de terre cuit en quatre ou cinq minutes alors que deux cuisent en sept ou huit minutes. Un aliment poreux (ex.: pain) cuit plus rapidement que celui qui est très dense (ex.: viande).
La plupart des aliments demandent un temps de repos de quelques secondes à la sortie du four car les micro-ondes continuent à travailler.

Pour sa part, le four à convection permet de cuire et de rôtir les aliments grâce à un élément qui chauffe l'air et l'assèche.

La cuisson combinée est une méthode qui permet d'alterner de façon automatique la cuisson par micro-ondes et la cuisson par convection. Grâce à ce mode de cuisson, les aliments brunissent.

La sonde thermique est un instrument qui ressemble à un thermomètre et qui sert à mesurer la chaleur des aliments durant leur cuisson au micro-ondes.

Les thermomètres à viande ou à bonbons ne peuvent être utilisés dans ce genre de four parce qu'ils contiennent du métal.

TECHNIQUES PARTICULIÈRES DE DÉCONGÉLATION

Des méthodes spéciales pour protéger et tourner les aliments sont utiles pour s'assurer que la portion décongelée ne cuise pas avant que le reste dégèle. Il est souvent nécessaire de tourner, remuer et séparer pour accélérer le processus de décongélation. La décongélation s'achève par un temps d'attente.

À cause de la différence de forme, de poids et de densité des aliments, les temps de décongélation recommandés ne peuvent être qu'approximatifs. Un temps d'attente additionnel peut être nécessaire pour compléter celle-ci. Lis les tableaux de décongélation présentés dans le manuel qui accompagnait ton four pour y consulter les temps et les instructions spéciales se rapportant à différents genres d'aliments. Voici quelques conseils qui t'aideront à obtenir une décongélation facile et rapide:

- Viandes, volaille, fruits de mer et légumes peuvent être décongélés dans leur emballage initial.
- Les grosses pièces doivent être retournées et déplacées à la mi-temps de la décongélation.
- Les aliments poreux (gâteaux et pains) décongèlent plus vite.
- Les portions de viande hachée doivent être retirées du four aussitôt qu'elles sont dégelées.

TECHNIQUES PARTICULIÈRES DE PRÉPARATION

Comme tu peux le constater, la cuisson au four à micro-ondes est ultra-rapide. Pourtant, il ne sert à rien de mettre un plat sur la table pendant que les autres ne sont pas encore prêts.

Tu dois donc planifier tes menus avec soin, bien utiliser le temps d'attente de tes mets, et avoir recours à d'autres techniques de préparation:

- place les parties les plus grosses et les plus épaisses près du bord du plat et les plus minces et les plus poreuses près du centre;
- disposes les cuisses de poulet comme les rayons d'une roue, avec le bout de l'os vers le milieu;
- dispose les petits aliments en cercle plutôt qu'en rangée;
- retourne certains aliments, s'il y a lieu, pendant leur cuisson;
- remue la nourriture de l'extérieur vers l'intérieur;

- tourne le plat de cuisson si l'aliment ne cuit pas uniformément;
- couvre les plats pour emprisonner la vapeur;
- pour empêcher certaines parties minces de cuire trop vite, couvre-les avec des petits morceaux de papier d'aluminium;
- perce les jaunes d'œufs, les pommes de terre et les saucisses, afin d'en libérer l'humidité.

La rapidité de la cuisson est un atout, car elle conserve aux aliments leurs minéraux et leurs vitamines qu'ils ont tendance à perdre lors d'une cuisson conventionnelle. Elle te donne aussi la chance de varier tes menus sans passer trop de temps à la cuisine.

LÉGUMES — GRATIN DE COURGETTES

450 g de courgettes en tranches de 12 mm 1/2 oignon haché finement 30 mL de beurre ou de margarine 45 mL de farine 250 mL de lait 2 mL de moutarde préparée 1 pincée de muscade Sel et poivre 80 mL de cheddar râpé 30 mL de chapelure grillée 15 mL de parmesan râpé	1. Faire cuire les courgettes de 7 à 8 minutes à MAX, dans une casserole couverte, peu profonde, en remuant une fois pendant la cuisson. 2. Laisser reposer 2 ou 3 minutes, puis égoutter et réserver. 3. Cuire l'oignon avec le beurre, dans un bol couvert, 2 à 3 minutes à MAX. 4. Incorporer la farine, le lait, la moutarde et la muscade, puis assaisonner au goût. 5. Cuire 2 minutes à MAX, en remuant une fois jusqu'à ébullition complète. 6. Ajouter le fromage et remuer le tout. 7. Verser la sauce sur les courgettes, saupoudrer de chapelure et de parmesan râpé. Chauffer 2 à 3 minutes à MAX.

- 3 portions
- Temps d'attente: de 2 à 3 minutes
- Temps de préparation: 13 minutes

À TOI DE T'EXPRIMER!

1. Chez toi, dans les armoires ou les tiroirs, y a-t-il des ustensiles de cuisine que tu ne peux identifier?

2. Quel est l'ustensile dont tu te sers le plus souvent dans la catégorie «ustensiles pour couper»?

3. Es-tu capable de faire la différence entre une **casserole** et une **cocotte**?

4. À part d'éplucher les carottes et les pommes de terre, nomme deux autres utilisations de l'éplucheur (ou de l'économe).

5. Pour quelles sortes de préparations utiliseras-tu le plus souvent la cuillère de bois?

6. Donne l'utilité de la louche.

7. Comment appelle-t-on les mots que l'on utilise pour expliquer une recette?

8. Pour la tâche suivante, trouve trois ustensiles différents à utiliser: **faire une salade de chou et de carottes.**

9. Trouve le terme culinaire qui correspond à la définition donnée en replaçant chacune des lettres.

Dorer de la viande ou des légumes dans un corps gras très chaud: **VIREERN**.

10. Avec quels produits efficaces peux-tu éteindre un feu sur la cuisinière ou dans le four conventionnel? Nommes-en deux.

11. «Éviter le contact d'un aliment cru avec un aliment cuit.» Cet énoncé correspond-il à une mesure de sécurité ou à une mesure d'hygiène dans la cuisine?

12. Explique en tes mots en quoi consiste le mode de cuisson «à la vapeur sous pression».

13. Tu décides de faire cuire des cuisses de poulet au four à micro-ondes. Comment disposeras-tu ces dernières afin qu'elles cuisent uniformément?

14. Vrai ou faux?
Viandes, volailles, fruits de mer et légumes peuvent être décongelés au four à micro-ondes dans leur emballage initial.

15. Compare le temps de cuisson pour des carrés aux dattes cuits au four conventionnel et au four à micro-ondes.

A S-TU COMPRIS?

1. Nomme trois ustensiles servant à éplucher et à nettoyer.

2. Quelle est la différence entre un couteau à pain et un couteau du chef?

3. Quelle est l'utilité de la balance dans les ustensiles à mesurer?

4. Énumère trois ustensiles servant à mélanger.

5. Décris ce qu'est un bain-marie.

6. Explique la technique pour mesurer un ingrédient solide.

7. De quel ustensile gradué te serviras-tu pour mesurer un ingrédient liquide?

8. Explique le terme culinaire **alterner.**

9. Fais la différence entre **battre** et **fouetter** une préparation.

10. Nomme deux liquides qui peuvent servir à badigeonner la surface d'une préparation.

11. Trouve deux mesures d'hygiène à respecter en ce qui concerne:
    a) les aliments;
    b) les personnes;
    c) les ustensiles de cuisine.

12. Nomme sept modes de cuisson qui peuvent être utilisés pour les aliments des groupes du *Guide alimentaire canadien pour manger sainement.*

13. Remplis le tableau où tu indiqueras trois avantages et trois inconvénients de l'utilisation du four à micro-ondes.

FOUR À MICRO-ONDES

AVANTAGES	INCONVÉNIENTS
NE RIEN ÉCRIRE	

14. Prouve à l'aide de deux exemples que le four à micro-ondes procure une économie de temps et d'énergie.

15. Nomme trois ustensiles facilement utilisables dans le four à micro-ondes.

Mettre en pratique des modes de présentation et de consommation de divers aliments

«Si seulement nous n'étions pas obligés de manger!»
Peux-tu imaginer un tel monde?
Un monde où il suffirait de prendre un verre d'eau, d'avaler une pilule miracle, créée par des spécialistes, pour remplacer la nourriture...

Si cette terrible situation venait à se produire, songe à tout ce que tu manquerais: le goût, l'odeur, le toucher, le bruit et la vue d'un petit plat, les repas à la chandelle, les repas de noces, les belles occasions, le grand luxe et le décorum, bien sûr.

L'heure des repas, comme telle, cesserait d'exister. Il n'y aurait aucune bonne raison pour t'asseoir une ou deux fois par jour avec ta famille. L'heure du dîner à l'école serait chose du passé. Hop! la pilule et on continue... le cours d'économie familiale... plus le temps pour rencontrer tes amis et amies. Finies les invitations... et les bonnes bouffes au restaurant.

Tu manges pour vivre. C'est dans la nourriture que tu vas chercher l'énergie dont tu as besoin.

Si tu as des amies et des amis d'une autre nationalité, tu auras la chance de goûter une cuisine différente mais tout aussi succulente que la nôtre.

Tu manges ce que tu aimes, ce qu'on t'a appris à aimer et tu as sûrement hâte d'expérimenter de nouveaux mets tout en respectant l'environnement.

2.7.1

FACTEURS INFLUANT SUR LES MODES DE PRÉSENTATION ET DE CONSOMMATION DES ALIMENTS

Plusieurs facteurs influencent la planification des repas, tant sur le plan de la présentation que de la consommation des aliments:

- **les circonstances;**
- **la conservation des énergies;**
- **les coutumes et traditions;**
- **les goûts;**

- les habitudes;
- la nature des aliments;
- le respect de l'environnement;
- les ressources disponibles.

CIRCONSTANCES

Manger est une expérience sociale! C'est souvent autour d'une table que les gens aiment se rencontrer.

En plus de la sociabilité des repas familiaux, des repas dénués de cérémonie et des collations avec des amis ou amies, il existe évidemment de nombreux autres événements sociaux pour lesquels la nourriture joue un rôle important. Le Jour de l'An, Noël, l'Halloween, la Saint-Valentin, Pâques et le repas à la cabane à sucre en sont des exemples.

CONSERVATION DES ÉNERGIES

Si tu participes à la préparation des repas, tu peux comprendre l'importance d'économiser le temps et l'énergie à ce moment.

Dans la vie mouvementée de tous les jours, savoir servir un repas nourrissant et appétissant en quelques minutes plutôt qu'en quelques heures est un atout précieux.

COUTUMES ET TRADITIONS

En plus des différences régionales, nos habitudes alimentaires ont également été influencées par les groupes ethniques qui ont émigrés chez nous.

Ces personnes ont apporté de nouveaux produits alimentaires dans notre pays et ils ont adapté, en même temps, les aliments qui y existaient, à leurs goûts. Pense, par exemple, aux différentes façons dont on apprête le bœuf haché:

- les hamburgers;
- le bœuf haché aux piments;
- le bœuf haché aux haricots rouges (chili);
- le spaghetti avec boulettes de viande;
- le pain de viande;
- le pâté chinois;
- les feuilles de chou farcies.

GOÛTS

Tout comme certaines personnes se servent de leur auto, de leurs vêtements ou de leur maison pour impressionner les gens, d'autres se servent des aliments pour afficher leurs couleurs.

De telles personnes peuvent décider de servir un aliment particulier seulement parce qu'il est coûteux, exotique, difficile à obtenir ou compliqué à préparer.

Les goûts d'une personne pour les aliments recherchés peuvent être différents de ceux d'une autre qui a des goûts simples et plus économiques et qui cuisine pour se faire plaisir avant tout. Nos sens transmettent des messages concernant les aliments, et influencent par conséquent nos préférences et nos aversions envers eux. Le chien, la fourmi ou le ver se consomment dans certains pays. Ailleurs, ils soulèvent le dégoût.

L'idéal serait de combiner meilleur goût et valeur nutritive. Malheureusement, ça ne fonctionne pas toujours de cette façon. On doit parfois faire des compromis entre les aliments que l'on préfère et ceux que nous aimons le moins mais qui sont meilleurs pour la santé.

HABITUDES

Chaque famille développe ses habitudes alimentaires et des rites qui lui sont propres.

Nos comportements alimentaires sont motivés par de nombreux facteurs et plaisirs dont il nous serait difficile de nous passer, tels:

- les vieilles recettes de famille;
- les décorations de la table;
- les trois repas de la journée;
- les petites gâteries de grand-maman ou de grand-papa;
- le repas du dimanche.

Les techniques changent mais nous gardons dans nos cœurs et dans notre mode de vie les traditions que nous avons aimées et qui, grâce à notre habileté et à notre ingéniosité, ont fait de nous ce que nous sommes.

NATURE DES ALIMENTS

Le service du repas nécessite une certaine planification, et il sera plus ou moins compliqué selon la nature des aliments servis.

La personne qui reçoit concentre tous ses talents culinaires à la préparation d'un plat, d'une entrée ou d'un dessert qu'elle réussit particulièrement bien.

La vaisselle, les ustensiles et la verrerie dont elle dispose influencent le choix de son menu et le service qu'elle prévoit faire.

Certains aliments se dégustent très bien assis autour d'une table joliment mise et fleurie, alors que pour d'autres la formule la plus agréable et la plus pratique est le buffet.

RESPECT DE L'ENVIRONNEMENT

Ta façon de te nourrir et celle de ta famille ont des conséquences sur la santé de la planète.

Tu n'as qu'à penser aux effets de tous ces additifs chimiques qu'on ajoute aux aliments pour les préserver, nous dit-on, mais aussi pour les rendre plus attrayants.

Par exemple, la cire qui fait tant briller les pommes leur donne-t-elle pour autant un meilleur goût?

Autre exemple: la farine de pain blanc «enrichie» est dépourvue de vitamines naturelles auxquelles on a substitué quatre vitamines synthétiques qui rendent le pain plus mou.

Et que dire de tous ces pesticides que l'on retrouve sur les fruits et les légumes? Et de cette autre forme de pollution que représentent les ustensiles, les assiettes ou les contenants de plastique, des matières non biodégradables qui viennent remplir nos poubelles?

Ne conviendrait-il pas de modifier certaines de nos habitudes et d'exiger des produits qui répondent à nos aspirations afin d'éviter le gaspillage et de protéger notre environnement? Servons-nous de contenants réutilisables, recyclables ou faits de matériaux recyclés.

RESSOURCES DISPONIBLES

Chaque famille a sa façon d'économiser sur les aliments et chacune doit trouver des trucs sur la meilleure façon d'y parvenir.

En prenant ses décisions, elle doit tenir compte des ressources qu'elle possède en argent, en temps, en habiletés personnelles et en équipement, de ce qu'elle peut trouver sur le marché, ainsi que des préférences personnelles des membres de la famille et de ses invitées et invités.

Note que tu peux apprêter les restes du repas précédent de façon à réaliser un plat de ton choix qui fera saliver tes convives.

DISPOSITION DES PIÈCES QUI COMPOSENT UN COUVERT

La décoration de la table te permet d'exercer tes talents artistiques.
La façon dont tu la réalises peut changer toute l'atmosphère du repas et en
augmenter le charme afin de créer une
ambiance détendue et confortable.

Lorsque tu passes à l'action, tu dois
tenir compte:

- **des accessoires;**
- **des ustensiles;**
- **de la vaisselle;**
- **de la verrerie.**

Source: Renée Deshaies

ACCESSOIRES

Peut-être as-tu déjà aidé tes parents à dresser la table
pour les repas familiaux... Un petit arrangement de fleurs ou de verdure fraîchement
coupées ou un centre de table apportent un cachet particulier.

La nappe enjolive, colore et donne un certain ton au décor, mais elle est aussi utilisée pour protéger la surface de la table. Elle doit être assortie à la vaisselle et aux accessoires.

Les serviettes de table servent à s'essuyer les mains et la bouche en mangeant et à
protéger les vêtements des taches de nourriture. Elles sont ordinairement pliées et
déposées à la gauche des fourchettes, le pli ouvert tourné vers l'assiette et le bord de
la table. Parfois, on la plie artistiquement et on la dépose dans la grande assiette.

Les bougies créent une ambiance d'intimité et de fête. On doit respecter le ton
donné à la décoration de la table: couleur, style et formes appropriés.

USTENSILES

Les ustensiles que l'on place sur la table sont les couteaux, les fourchettes et les
cuillères. Ils sont de dimensions et de formes différentes suivant
l'aliment auquel ils sont destinés.

On place les cuillères, les fourchettes et les couteaux à 2,5 cm du bord
de la table.
Le premier ustensile à utiliser est le plus éloigné de l'assiette.
Les couteaux et les cuillères sont placés à la droite de l'assiette.
On place le couteau immédiatement à côté de l'assiette, le tranchant
de la lame tourné vers celle-ci.

Les fourchettes sont placées à la gauche de l'assiette, les dents vers le haut.
On place la fourchette à droite si c'est le seul ustensile dont on se sert pendant le repas.
On peut mettre les fourchettes à huîtres à la droite des cuillères ou au milieu de l'assiette.
Les ustensiles à dessert seront apportés en même temps que les assiettes à dessert.
Le couteau à beurre se met généralement sur le bord de l'assiette à pain, perpendiculairement ou parallèlement aux autres pièces du couvert.

VAISSELLE

1. assiette à pain
2. assiette à salade
3. verre à vin
4. verre à eau

On désigne par le nom de «vaisselle», les plats, les tasses, les soucoupes, les bols et les assiettes.

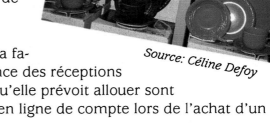

Le genre de vaisselle et le nombre de morceaux que possède chaque famille dépend de ses goûts et de son budget.

Source: Céline Defoy

L'importance (en nombre) de la famille, ses habitudes, la fréquence des réceptions qu'elle organise et la somme qu'elle prévoit allouer sont autant de facteurs qui entrent en ligne de compte lors de l'achat d'un service de vaisselle.

DISPOSITION DE LA VAISSELLE

Tu dois placer:
– l'assiette à la place du convive, au centre du napperon, s'il y en a un, et à 2,5 cm environ du bord de la table;
– l'assiette à pain à la gauche de la grande assiette et des fourchettes;
– l'assiette à salade à la gauche de la grande assiette, un peu plus haut que les fourchettes;
– les assiettes à dessert en même temps que ce dernier, à la fin du repas;
– la tasse dans la soucoupe, l'anse tournée vers la droite, pour remplacer l'assiette à dessert après avoir débarrassé la table.

Tu peux te servir d'objets en verre, même bon marché, pour donner à la table un peu d'éclat.

On trouve des verres de toutes les grandeurs, de toutes les formes et de toutes les couleurs.

Lorsqu'on choisit une verrerie, il faut tenir compte des ustensiles et de la vaisselle qu'elle accompagnera.

2.7.3

RESSEMBLANCES ET DIFFÉRENCES DE COMPORTEMENTS CONVENABLES À TABLE SELON DIVERSES CULTURES

Par ses manières à table, on exprime son respect pour les personnes qui partagent notre repas.

Notre **conversation**, l'**hygiène** et la **propreté**, la **tenue** que nous adoptons et l'**utilisation des pièces du couvert** en disent long sur nos comportements convenables à table.

Si tu manques de savoir-vivre à table, si tu te jettes sur la nourriture, si tu places tes coudes sur la table, si tu parles fort, si tu manges bruyamment, si tu parles en mangeant, si tu te disputes avec les tiens, il est évident que toutes ces manières, que l'on considère mauvaises chez nous, réapparaîtront inconsciemment quand tu te retrouveras en présence d'invités et d'invitées.

Tu te dois aussi d'être à l'heure pour les repas et de porter une tenue convenable.

Un relâchement pourrait te gâcher un repas alors qu'une pratique quotidienne du savoir-vivre à table renforcera ton plaisir de recevoir et de passer de bons moments.

Tu peux ressentir de l'embarras lorsque tu te retrouves devant de nombreux ustensiles... Il te suffit alors de suivre l'exemple de l'hôtesse ou de l'hôte pour te tirer d'affaire. Sinon, souviens-toi que l'ustensile qu'on utilise en premier est celui qui se trouve le plus éloigné de l'assiette.

COUTUMES DANS DIVERSES CULTURES

Jetons maintenant un coup d'œil sur le comportement des personnes qui vivent ailleurs, dans différents pays du monde.

ALGÉRIE: La cuisine occupe une place importante dans la vie quotidienne des Algériens et des Algériennes. Cette importance, la mère l'inculque à sa fille, consciente qu'elle permettra à ses petits-enfants d'avoir un bon développement. L'homme algérien est habitué à bien manger dès son enfance et sa femme continue de le régaler. Les plats de la cuisine algérienne demandent beaucoup de préparation. Plusieurs de ces plats ne sont à l'honneur qu'en certaines occasions: mariage, circoncision, retour de **La Mecque**...

BULGARIE: Dans la vie de la Bulgarie moderne, les travaux de maison sont le «privilège» de la femme, et comprennent les interminables files d'attente, après sa journée de travail, pour le pain et la viande. Après le repas, une légende voudrait que l'on doive laisser la table intacte jusqu'au lendemain pour que Marie (la sainte Vierge) puisse venir chercher de la nourriture pour les pauvres de la terre.

INDE: On ne mange jamais avec la main gauche, même si l'on est gaucher, la main gauche étant considérée comme impure. On doit se laisser servir, ne jamais essayer de le faire soi-même — la main droite avec laquelle on mange salirait la cuillère du plat et on ne peut la toucher avec la gauche. À la fin du repas, on apporte un bol d'eau pour se rincer les doigts.

JAPON: L'esthétique joue un rôle primordial dans la cuisine japonaise. Les plats sont préparés autant pour être regardés et contemplés que pour être mangés. La vaisselle, de bois laqué noir, est conçue pour mettre en valeur la couleur et l'aspect des aliments.

JORDANIE: Le repas, pris sous la tente, en plein désert, est servi dans un immense plat contenant de la viande et du riz pour toutes et tous les convives, et qui est posé par terre. Pour manger, on se sert de sa main droite. Le savoir-vivre des nomades veut qu'on prenne une poignée de riz pour en former une boulette en la serrant dans sa main. On porte alors la boulette à sa bouche sans que les doigts entrent en contact avec les lèvres. Il est de bon ton de claquer des lèvres aussi souvent que possible et de faire entendre au moins un rot bien sonore pour montrer que l'on a bien mangé.

MAROC: On y consacre beaucoup de temps à cuisiner. La meilleure cuisine est celle que l'on fait au charbon. Un plat peut demander plusieurs heures de cuisson. On dispose les mets sur un seul grand plat qu'on place au centre d'une table ronde entourée de divans, et tout le monde commence le repas en même temps. On encourage celle ou celui qui ne mange pas beaucoup en lui disant: «Mange, mange», et c'est ainsi que l'appétit lui vient.

SUD-EST DE L'ASIE: Si une personne n'a pas faim, on ne la presse pas de manger «en famille»; on lui laisse quelque chose de côté pour plus tard. Tous les plats sont présentés en même temps et chacun et chacune fixent l'ordre dans lequel ils se serviront. Les plats sont partagés, mais on considère comme une impolitesse le fait que deux personnes se servent en même temps dans le même plat.

Les soupes constituent non pas une entrée mais le plat principal.

Voilà. Maintenant, tu en connais un peu plus sur quelques coutumes alimentaires de certaines autres cultures.

Il est intéressant de savoir que la religion, les coutumes, le climat, le sexe, les ressources financières et les valeurs morales influencent le mode de vie et les comportements alimentaires de tous les peuples de la terre.

À TOI DE T'EXPRIMER!

1. Tu aimes les repas bien organisés pour des circonstances particulières.
Nomme au moins cinq événements où le repas est plus cérémonieux qu'un repas quotidien.

2. Écris le nom de quatre mets typiquement québécois.

3. a) Énumère trois de tes plats préférés.
b) Indique deux aliments que tu n'aimes pas du tout et dis pourquoi.

4. Décris un repas spécial du dimanche midi ou du dimanche soir pris en famille.

5. Manger chez grand-maman, c'est bien spécial! Quelle est la petite gâterie qu'elle aime te confectionner pour te faire plaisir?

6. Fais une énumération de cinq ressources dont dispose une famille, en rapport avec la consommation des mets.

7. Établis une liste de quatre éléments qui agrémentent le décor d'une table.

8. Que regroupe-t-on sous le nom de vaisselle?

9. Pier-Éric est invité à souper chez un ami. À la table, il est embarrassé devant un grand nombre d'ustensiles.
Quel conseil lui donnes-tu afin qu'il puisse se tirer d'affaire convenablement?

10. Nomme cinq éléments qui influencent le mode de vie et les comportements alimentaires des différents peuples.

A S TU COMPRIS?

1. Nomme cinq facteurs qui influencent la planification des repas, tant sur le plan de la présentation que de la consommation des aliments.

2. Quelle est la fonction de la nappe à table?

3. La serviette de table sert à s'essuyer les mains et la bouche et à se protéger des taches de nourriture.
Indique où elle doit être placée sur la table.

4. On ne dispose pas les ustensiles où on veut sur la table.
   a) Indique la place du couteau.
   b) Comment dispose-t-on le couteau à beurre?
   c) Où met-on les fourchettes?

5. Disposition de la vaisselle sur la table.
   a) Où se place l'assiette à pain?
   b) Comment place-t-on la tasse?
   c) À quel moment l'assiette à dessert est-elle posée sur la table?
   d) L'assiette à salade se place-t-elle à la gauche ou à la droite de la grande assiette?

6. Comment le goût peut-il influencer le choix dans la présentation et la consommation des aliments?

7. Donne un bon et un mauvais comportement à la table selon nos coutumes.

8. Comment qualifie-t-on la tenue vestimentaire qui est de mise à table?

GLOSSAIRE

A

Anémie: Maladie causée par une carence en fer, qui fait diminuer la qualité ou la quantité de globules rouges dans le sang. Elle est caractérisée par une grande faiblesse physique.

Apport: Action de fournir, de donner ou de produire un résultat.

B

Babeurre: Résidu liquide de la fabrication du beurre. Sa composition se rapproche de celle du lait écrémé. Il peut être utilisé dans certaines recettes.

Béta-carotène: Pigment d'origine végétale qui est responsable de la couleur jaune, du plus clair à l'orangé le plus foncé, et de la couleur verte d'un grand nombre de fruits et de légumes. Il permet à l'organisme humain de produire de la vitamine A.

Braiser: Cuire un aliment dans une casserole couverte, à feu très doux, longuement, et dans une petite quantité de liquide.

Bulghur: Céréale fabriquée à partir de grains de blé légèrement trempés, qui sont ensuite cuits, séchés et concassés. On l'utilise comme substitut du riz. Grand favori du Moyen-Orient et de l'Europe de l'Est.

C

Carence: Manque ou privation d'un élément nécessaire au bon fonctionnement de l'organisme.

Chaudrée: Bouillon de poisson épaissi de lait et de pommes de terre bouillies auquel on ajoute de petits morceaux de poissons ou de fruits de mer.

Chlorophylle: Pigment vert naturel contenu dans les cellules des tissus végétaux.

Couscous: Céréale faite de blé moulu en granules dorées. On la fabrique à partir de l'amande du grain de blé. Le nom vient du bruit que fait la vapeur en s'échappant de la marmite. Le couscous est d'origine nord-africaine.

D

Déshydrater: Retirer par la chaleur, le vide ou par une réaction chimique, l'eau d'un produit.

E

Enzyme: Molécule de protéine, produite par les cellules, agissant comme catalyseur pendant la digestion de façon que les éléments nutritifs puissent être absorbés par l'organisme.

F

Facteur: Élément qui concourt à un résultat.

Ferment lactique: Bactérie inoffensive que l'on ajoute au lait lors de la fabrication du yogourt.

Fibre: Partie des matières végétales qui n'est pas digérée par les sécrétions du système digestif de l'être humain. Les fibres grattent et nettoient les parois de l'estomac et de l'intestin, prévenant la constipation.

G

Glucide: Substance nutritive qui donne de l'énergie à l'organisme dès qu'elle est consommée, qui permet de garder les protéines en réserve et qui aide à brûler les lipides.

Gras saturé: Gras d'origine animale et solide à la température de la pièce. Gras contenu dans les viandes et les produits laitiers. Une alimentation riche en gras saturés contribue à augmenter le niveau de cholestérol sanguin.

H

Hydrosoluble: Vitamine soluble dans l'eau (complexe B et C). Détruite plus facilement par la cuisson. De très petites quantités seulement sont emmagasinées par l'organisme.

Hypertension: Élévation au-dessus de la normale de la tension artérielle.

Incidence: Répercussion que peut avoir un fait précis sur le déroulement d'une action.

Kascher: Se dit d'un aliment conforme aux prescriptions rituelles de la loi juive ainsi que du lieu où il est préparé ou vendu.

Lèchefrite: Ustensile de cuisine que l'on place sous la broche (au four) pour cueillir le jus ou le gras de la viande qui cuit.

Liposoluble: Vitamine soluble dans les graisses mais non dans l'eau (A, D, E et K).

Mecque (La): Lieu de pèlerinage obligatoire pour tout musulman, s'il en a les moyens, une fois au cours de sa vie.

Mijoter: Cuire un aliment à feu doux, très lentement.

Mutation: Changement ou évolution.

Panure: Pain séché ou biscuits secs émiettés dont on saupoudre certains mets avant de les faire cuire.

Pesticide: Substance chimique employée pour éliminer les mauvaises herbes, les champignons microscopiques, les insectes. Substance nocive pouvant contaminer l'eau potable.

Pocher: Cuire dans un liquide, sans faire bouillir, dans un récipient à découvert.

Protéine: Substance nutritive essentielle servant à la construction, à la réparation et à l'entretien des tissus de l'organisme.

Protéine incomplète: Protéine végétale comportant rarement tous les acides aminés essentiels (composés organiques qui se combinent de diverses façons pour former différentes protéines).

Purgation:	Action d'éliminer du corps la nourriture indésirable en ayant recours aux vomissements, au jeûne, aux laxatifs, aux pilules ou à certaines tisanes.

Q

Quinoa:	Céréale du Chili et du Pérou ressemblant au sarrasin.

R

Raifort:	Plante à racine blanche et à saveur piquante qui peut être consommée pour remplacer la moutarde.
Ris:	Glande de jeunes animaux (veau, agneau) située à l'entrée de la poitrine et qui joue un rôle dans la résistance à l'infection. C'est un lieu de réserves de protéines.
Rognons:	Reins de certains animaux considérés comme comestibles.
Rouage:	Chacun des éléments de l'organisme qui fonctionnent.

S

Saindoux:	Graisse de porc fondue.
Salubrité:	Sain, qui contribue à la santé.
Semoule:	Farine granulée provenant de la partie interne de blé après leur mouture.
Shortening:	Graisse obtenue par le durcissement de l'huile est sans saveur. On l'emploie pour la pâtisse
Sodium:	Minéral que l'on trouve dans le sel de table salés et dans la plupart des aliments riche intervient dans l'équilibre de l'eau, les cc musculaires et les réactions nerveuses.
Soluble:	Qui peut se dissoudre dans un solvan
Sorgho:	Céréale d'Afrique et d'Asie égaleme

T

ougère.

Tête de violon:	Jeunes feuilles recourbées et g Synonyme: CROSSE de foug
Triticale:	Croisement du blé et du se forme de grains ou de far

éréale se trouve sous

teneur en protéines.

ille familiale et planification alimentaire

BIBLIOGRAPHIE

ACEF du Nord de Montréal. *Mon 1er budget*. Montréal, Fédération des ACEF du Québec, 1990, 35 p.

BASSATETTI – ARANEDA, Térésa. *Voyage autour d'une table*, Femmes immigrantes de l'Estrie, Sherbrooke, 1992, 222 p.

BRAULT DUBUC, Micheline et Liliane Caron Lahaie. *Valeur nutritive des aliments*, Montréal, Université de Montréal, 1987, 171 p.

BRETON, Marie. *Bien manger sans se serrer la ceinture*, Montréal, Les Éditions de ''homme, 1993, 375 p.

...mmation et Corporations Canada. *Guide sur l'étiquetage nutritionnel*, Ottawa, ...ionnements et Services Canada, n° de catalogue RG23-92/1991F, 1991,

...s grains de
Clément. *Lexique des fruits*, Québec, Office de la langue française, ...s du Québec, 1991, 51 p.

...vér...
...RS, Louise et Louise Lambert-Lagacé. *La nouvelle boîte à lunch*, Montréal, ...de l'homme, 1992, 261 p.

...La minceur. À quel prix?», *Nutrition Actualité*, Montréal, Bureau laitier ...17, n° 3, 1993, p. 50 à 54.

...èle. «Mangez-vous de ce pain-là?», *Protégez-vous*, décembre 1992, ...p. 15 à 22.

...e. «Un bol de céréales avec ça?», *Protégez-vous*, mars 1993,
FR... ...33 à 39.
Mon...

GAUTH... *Le guide de l'alimentation saine et naturelle*, tomes 1 et 2, 174 p. ...Asclépiade, 1987, 350 p.

...e. *Cuisiner sans être chef*, Laval, Éditions Beauchemin ltée, 1993,

Aujourd'hui... pour demain!

GENEST, Françoise. *Guide pratique de l'alimentation*, Montréal, Collection Protégez-vous, 1992, 125 p.

Guide métrique et équivalences, Montréal, Les Éditions Québécor, Collection Guides pratiques, 1989, 109 p.

HAMILTON, Jacynthe. «Les minéraux dans votre assiette ou dans un comprimé», *Protégez-vous*, mai 1991, Greenfield Park, p. 35 à 41.

HIRSHON, Susan. «De nouvelles recommandations alimentaires», *Protégez-vous*, août 1991, Greenfield Park, p. 45 à 49.

HIRSHON, Susan. «Les légumineuses», *Protégez-vous*, juin 1991, Greenfield Park, p. 21 à 25.

LAFLEUR, Françoise et Françoise Roy. «Les appellations alimentaires: à toutes les sauces?», *Protégez-vous*, août 1991, Greenfield Park, p. 29 à 34.

Ministère de l'Agriculture, des Pêcheries et de l'Alimentation. *Micro-ondes, plus qu'un jouet*, Colloque organisé par le Conseil des denrées alimentaires du Québec, MAPAQ, 1991, Code 91-0073, 81 p.

MONETTE, Solange. *Dictionnaire encyclopédique des aliments*, Montréal, Éditions Québec-Amérique, Collection Santé, 1989, 607 p.

NADEAU, Suzanne. «Initiation à la saine alimentation», *Le lien*, revue officielle de l'Association d'Économie familiale du Québec, automne 1991, vol. 25, n° 2, Trois-Rivières, p. 5 à 9.

RICE, Carla. «Libérons les générations futures. Comment éviter à nos enfants des problèmes d'alimentation et de poids», *Nutrition Actualité*, vol.17, n° 3, Montréal, Bureau laitier du Canada, 1993, p. 55 à 71.

SABOURIN, Guy. «L'emballage: Trop c'est trop!» *Protégez-vous*, mai 1992, Greenfield Park, p. 48 à 53.

Santé et Bien-Être social Canada, *Additifs alimentaires: questions et réponses*, Ottawa, Approvisionnements et Services Canada, n° de catalogue H49-19/1990F, 1990, 23 p.

Santé et Bien-Être social Canada. *Apports nutritionnels recommandés pour les Canadiens*, Ottawa, Centre d'édition du gouvernement du Canada, code 015202, 1992, 224 p.

Santé et Bien-Être social Canada. *Consulter les étiquettes des aliments pour faire des choix-santé*, Ottawa, Approvisionnements et Services Canada, n° de catalogue H49-83/1993F, 8 p.

Santé et Bien-Être social Canada. *Pour mieux se servir du Guide alimentaire*, Ottawa, n⁰ de catalogue H39/253/1992F, 1992, 11 p.

Santé et Bien-Être social Canada. *Renseignements sur le Guide alimentaire à l'intention des éducateurs et des communicateurs*, Ottawa, n⁰ de catalogue H39-253/01-1992F, 1992, 24 p.

Santé et Bien-Être social Canada. *Valeur nutritive de quelques aliments usuels*, édition révisée, Ottawa, Centre d'édition du gouvernement du Canada, n⁰ de catalogue H58-28/1988F, 1988, 33 p.

TREMBLAY, Hélène et Louise Gagnon. «Le végétarisme», *Protégez-vous*, juillet 1992, Greenfield Park, p. 39 à 43.

TREMBLAY, Hélène. «Le tofu ou l'univers d'un caméléon», *Protégez-vous*, mars 1991, Greenfield Park, p. 7 à 11.

TREMBLAY, Hélène. «Manger mieux, c'est payant!», *Protégez-vous*, mars 1992, Greenfield Park, p. 49 à 54.